Una herencia envenenada

Kathryn Ross

Editado por HARLEQUIN IBÉRICA, S.A.
Hermosilla, 21
28001 Madrid

UNA HERENCIA ENVENENADA, Nº 1580 - 6.4.05
Título original: The Frenchman's Mistress
Publicada originalmente por Mills & Boon®, Ltd., Londres.

I.S.B.N.: 84-671-2638-8
Depósito legal: B-8030-2005
Editor responsable: Luis Pugni
Composición: M.T. Color & Diseño, S.L.
C/. Colquide, 6 - portal 2-3º H, 28230 Las Rozas (Madrid)
Fotomecánica: PREIMPRESIÓN 2000
C/. Algorta, 33. 28019 Madrid
Impresión y encuadernación: LITOGRAFÍA ROSÉS, S.A.
C/. Energía, 11. 08850 Gavá (Barcelona)
Fecha impresion para Argentina: 22.5.06
Distribuidor exclusivo para España: LOGISTA
Distribuidor para México: CODIPLYRSA
Distribuidores para Argentina: interior, BERTRAN, S.A.C. Vélez Sársfield, 1950. Cap. Fed./ Buenos Aires y Gran Buenos Aires, VACCARO SÁNCHEZ y Cía, S.A.
Distribuidor para Chile: DISTRIBUIDORA ALFA, S.A.

Capítulo 1

CUANDO Caitlin le había dicho a sus conocidos que se marchaba de Inglaterra para empezar una nueva vida en La Provenza francesa, a todo el mundo le había parecido un plan muy emocionante.

Pero en ese momento, mientras a través del parabrisas del coche observaba aquella cortina de agua, empezó a caer en la cuenta de la magnitud del paso que había dado. ¿Sería tal vez aquello, esa casa de campo soñada, la vía de escape de todo lo que le había salido mal en la vida?

En su imaginación la casa de campo estaba abrigada por la calidez de la campiña francesa con su exuberante vegetación, pintada de un ocre intenso para confundirse con los alrededores y con las persianas verde oscuro echadas para protegerla de la fuerza del sol del Mediterráneo. Pero la realidad no tenía nada que ver con su sueño. Tal vez en el pasado hubiera sido una bonita casa de campo, pero en ese momento su aspecto era triste, abandonado y bastante sombrío.

¿Y si se hubiera equivocado de desvío y ésa no era su casa? Sacó los mapas y comprobó la ruta que había tomado; después echó otro vistazo a los documentos que le habían entregado en la oficina del abogado. Las indicaciones habían sido de lo más sencillas; no pensaba que hubiera cometido un error, y además no parecía haber ninguna otra casa en los alrededores.

Caitlin se asomó de nuevo a mirar el dilapidado edificio. Empezaba a anochecer, así que antes de que oscureciera del todo iba a tener que salir e investigar. O podría dar la vuelta, llegar hasta el pueblo más cercano y meterse en un hotel. Por un momento la idea de una ducha caliente, de una buena comida francesa y de unas sábanas de algodón le resultó muy tentadora. Había salido de Londres a las cuatro y media de la madrugada; eran casi las siete de la tarde, y estaba agotada. Pero si había ido hasta allí, por muy cansada que estuviera, no sería capaz de descansar hasta que no supiera con seguridad si aquélla era Villa Mirabelle... Su legado.

Apagó el motor del coche y el silencio se llenó con el ruido rítmico de la lluvia, que golpeaba el techo del coche con tanta fuerza que se asemejaba al de un trueno distante. Cuando los limpiaparabrisas dejaron de funcionar, el mundo exterior se perdió en una neblina oscura y acuosa.

Caitlin se puso la capucha de su chubasquero, sacó la llave de la puerta que le habían dado y una linterna de la guantera, aspiró hondo y abrió la puerta del coche.

Nada más salir se le hundieron los pies en el suelo encharcado y lleno de barro, impidiéndole avanzar con normalidad hacia la puerta; los vaqueros que llevaba debajo del chubasquero se le empaparon antes de llegar a la puerta.

Metió la llave en la enorme cerradura con mano temblorosa. Entraba, pero no giraba. Estuvo a punto de echarse a reír de alivio, pero antes de sacarla volvió a girarla, esa vez en dirección contraria. Con pesadumbre sintió el clic indiscutible de la cerradura abriéndose y supo sin lugar a dudas que había ido al lugar correcto.

Por un momento experimentó cierta decepción, pero enseguida ignoró ese sentimiento mientras se recordaba a sí misma lo amable que había sido Murdo al dejarle aquella casita. Por ello le estaría eternamente agradecida, sobre todo porque el legado le había llegado en un momento de su vida en el que casi lo había necesitado. Y además había sido totalmente inesperado. No se trataba de que fuera su pariente o algo parecido; solamente había sido su enfermera. No había razón alguna para que él le dejara ni un solo penique, menos todavía una casa en Francia y el terreno que la rodeaba.

Empujó la puerta y con la linterna alumbró la oscuridad del interior. El haz de luz amarillento iluminó unas sábanas blancas, y enseguida se dio cuenta de que eran las sábanas que protegían el mobiliario del polvo.

Caitlin accionó un interruptor que había junto a la puerta, pero no se sorprendió al ver que no se encendía la luz. Seguramente la electricidad estaría desconectada. Entró en el vestíbulo y el suelo de madera crujió como si no hubiera entrado nadie desde hacía mucho tiempo. Olía vagamente a lavanda y a tierra mojada, y se notaba que hacía mucho tiempo que la casa estaba cerrada.

En un aparador había unas cuantas fotografías con marcos de plata de personas que Caitlin no reconoció. Al verlas pensó en lo poco que sabía de la vida de Murdo. No había sido un hombre extrovertido; la verdad era que sólo se había enterado de que tenía aquel terreno en Francia porque de tanto en cuanto había recibido la visita de su vecino de al lado, un hombre alto y moreno llamado Ray Pascal.

Mientras paseaba la mirada con curiosidad por las fotografías distinguió de pronto el rostro familiar de Ray entre otros extraños. Levantó la foto y sopló sobre ella para retirar el polvo que la cubría. Era claramente una foto de su boda. A su lado había una mujer muy bella con un vestido de novia blanco; tenía el pelo negro y los ojos risueños.

Caitlin supuso que habría sido tomada haría unos quince años, porque Ray parecía como si tuviera unos veinte años. Entonces había sido guapo, pensaba mientras estudiaba la fotografía, pero se había convertido en un hombre extraordinariamente apuesto en su primera madurez; aunque si acaso también algo desagradable. Estudió de nuevo a la mujer a su lado; aparentemente había fallecido en accidente de coche, y Ray jamás se había recuperado de esa pérdida.

Sólo lo había visto un par de veces, pero en cada ocasión se había producido entre ellos una tensión que la había abrumado. No estaba acostumbrada a que los hombres la miraran con tanta desaprobación. Lo cierto era que no habían comenzado con muy buen pie. El primer día que le había abierto la puerta llevaba puestos unos pantalones cortos y una camiseta, y él le había echado una mirada interrogante cuando ella le había informado con naturalidad que era la enfermera de Murdo.

–¿No va demasiado ligera de ropa para el trabajo? –le había preguntado él en tono seco.

En ese momento debería haberle explicado que en realidad ése era su día libre, y que no habría estado allí de no haber sido porque había recibido una llamada urgente de Murdo diciéndole que la necesitaba. Preocupada por él, Caitlin había corrido a su casa y se había encontrado a Murdo fresco como una rosa, sentado en el salón, diciéndole que la había llamado para que conociera a alguien que iba a ir a visitarlo.

Consecuentemente, ella no había estado de muy buen humor cuando le había abierto la puerta. El tono de censura en la voz de Ray había sido la gota que colmó el vaso.

–Lo que me ponga para trabajar es algo entre mi jefe y yo... –le había contestado ella en tono seco antes de echarse a un lado la larga melena negra y salir por la puerta–. Y dígale que no vuelva a llamarme como ha hecho hoy –había añadido volviendo la cabeza.

Murdo había sido insoportable a veces, pensaba con pesar mientras dejaba la foto sobre el aparador. Por alguna razón, durante el periodo en el que se había producido la breve visita de Ray el verano anterior, a Murdo se le había metido en la cabeza que Ray y ella harían buena pareja. Había sido una tontería de Murdo, y no sólo porque ellos dos no se habían caído bien, sino porque Caitlin estaba con David; en realidad llevaba tres años viviendo con él.

Tras un par de semanas de indirectas, Murdo le había preguntado directamente si Ray la atraía. Ella recordaba que se había sonrojado de pies a cabeza cuando lo había negado rotundamente. Ni siquiera en ese momento entendía por qué la pregunta de Murdo la había inquietado tanto. A Murdo le había divertido su reacción. Él no había sido un hombre muy dado a la risa, al menos en los dos años que Caitlin había estado trabajando para él, pero ese día se había echado a reír con una risa cálida y aterciopelada que había hecho sonreír a Caitlin.

–Estoy enamorada de David –le había recordado al ver que él continuaba riéndose.

–Si tú lo dices –le había respondido Murdo.

–Sí, lo digo; estamos prometidos en matrimonio –le había dicho ella mientras le enseñaba el brillante que llevaba en el dedo.

–Llevas ese anillo puesto desde hace dos años y es ahora cuando habéis fijado una fecha de boda –había dicho Murdo con desdén.

Ella frunció el ceño.

–Sé que Ray es muy apuesto, Murdo, pero él también lo sabe. Es un arrogante y, además, no es mi tipo.

Los ojos azules de Murdo brillaban con humor, y ella había pensado que tal vez sería por sus protestas; entonces se había dado cuenta de que no estaban solos. Ray estaba en la puerta de la habitación, detrás de ella. Si alguna vez Caitlin había deseado que la tragara la tierra, había sido ese día.

Más tarde, con la intención de disculparse, lo había alcanzado cuando él iba hacia la puerta.

–Siento mucho lo de antes... sabe... –había dicho, intentando no mostrarse intimidada por el modo en que sus ojos negros la habían mirado–. Murdo me estaba tomando el pelo y... bueno, no debería haberme tragado el anzuelo.

–No tiene por qué disculparse –le había dicho él con total seguridad en sí mismo; en sus labios había una sonrisa burlona–. Lo cierto es que, usted tampoco es mi tipo.

Entonces se había dado vuelta y la había dejado de una pieza.

–¿Por qué no me avisaste de que lo tenía detrás? –le preguntó a Murdo muy enfadada más tarde.

Él sonrió, pero no parecía arrepentido.

–No me quedan muchos placeres en esta vida, pero desde luego uno de ellos es ver las chispas que saltan entre Ray y tú cuando estáis juntos.

Murdo no había sido uno de sus pacientes más fáciles, pero iba a echarlo de menos.

–Tu casa está un poco abandonada, Murdo –dijo en voz alta en el espacio cerrado del vestíbulo–. Pero de todos modos agradezco el detalle.

–Sabes, hablar sola es la primera señal de locura.

La voz que surgió a sus espaldas fue tan inesperada que por un instante de locura creyó que era Murdo que había salido de la tumba para contestarla. Pero la silueta de la puerta era la de un hombre más fuerte y más alto.

–Me preguntaba cuándo aparecerías por aquí –le dijo en tono sardónico

En ese momento Caitlin reconoció esa voz.

–¡Ray! ¡Me has dado un susto de muerte!

Lo enfocó con la linterna, y él se llevó la mano a los ojos para protegerlos del resplandor. Caitlin vio que llevaba puesto un tres cuartos impermeable y pantalones vaqueros; un atuendo muy distinto al que había llevado cuando había ido a Inglaterra a visitar a Murdo. En esas ocasiones sólo lo había visto con trajes de chaqueta.

–¿Qué diantres estás haciendo aquí? –le preguntó ella, retirándole el haz de luz de la cara.

–Iba de camino a mi casa cuando vi tu coche.

–¿A tu casa? –dijo ella con total asombro.

–Sí, mi casa –dijo en tono seco–. Vivo a unos seis kilómetros carretera arriba.

–¡Ah! No lo sabía... Bueno, sabía que vivías en Francia, por supuesto... –se sentía sofocada y confundida–. Pero Murdo me dijo que tenías un apartamento en París ahora, así que supuse que te habrías marchado de la casa de campo.

–Tengo un apartamento en París, lo utilizo para trabajar, pero mi casa está aquí en el sur.

Caitlin no sabía por qué siempre se sentía inquieta cuando hablaba con él, ni tampoco la razón de que él le hablara en tono tan seco. ¿Acaso estaría queriendo decirle que estaba en su territorio y que no era bienvenida?

Parecía que había empezado a llover aún con más fuerza, y el resplandor de un relámpago iluminó el interior, seguido momentos después por el distante retumbar del trueno. De pronto no le importó que los modales de Ray fuera secos. Lo importante era que no estaba sola en aquel sitio, y que por lo menos Ray era una persona conocida.

–Bueno, me alegro de tener por lo menos un vecino –comentó ella en tono alegre–. Así podré ir a tu casa si me quedo sin azúcar. Es un plus inesperado.

–No estarás pensando en quedarte aquí, ¿verdad?

La incredulidad en su tono de voz hizo vacilar a Caitlin; de verdad no sabía lo que iba a hacer. Los planes que había hecho en Inglaterra le parecían de pronto absurdos. Había soñado con convertir esa casa de campo en una especie de hostal. Una idea que había compartido equivocadamente con algunos colegas y amigos, quienes le habían asegurado encantados que ellos serían los primeros en reservar habitación. Caitlin se encogió por dentro mientras imaginaba la expresión de sus caras si vieran esa propiedad. Y cuando se corriera la voz y

David se enterara... se reiría de ella. Y sólo de pensar en esa posibilidad se le revolvía el estómago.

Cuando había terminado con él, David la había acusado en tono paternalista de ser demasiado impulsiva. No había creído que ella se atreviera a cancelar la boda; había pensado que iría a Londres a ver a su madre y luego se lo pensaría y volvería a él.

Y entonces ella se había enterado de que había heredado esa casa, y había sido como una tabla de salvación...

Otro relámpago iluminó la estancia, y por un momento Ray vio claramente a Caitlin, con su cabello negro despeinado sobre la cara, la tez pálida y esos ojos de un verde intenso.

–Ya decidiré lo que hacer cuando pueda verla tranquilamente a la luz del día –dijo mientras alzaba la barbilla con testarudez.

No pensaba abandonar su sueño con tanta facilidad.

–Pero no puedes quedarte aquí a pasar la noche –continuó él en tono suave.

Sus modales afables la sorprendieron.

–Bueno, supongo que iré al pueblo y me quedaré en un hostal.

–No lo creo –se dio la vuelta y se asomó por la puerta–. Las carreteras que bajan de la montaña estarán ya inundadas. Además, creo que te va a costar ir a ningún sitio en su coche.

–¿Qué quieres decir? –cruzó la habitación y se plantó en la puerta a su lado.

Cada pocos segundos el cielo añil se encendía con los gigantescos tenedores de los relámpagos que no cesaban de iluminar los árboles y las colinas con aquel resplandor artificial. Casi inmediatamente el estruendo fiero del trueno reverberaba a través de las montañas con la potencia de un cañonazo.

–En esta zona se producen inundaciones repentinas cuando el tiempo está así –dijo Ray con naturalidad.

Caitlin se dio cuenta de que el agua fluía como un

río por la estrecha carretera por la que ella había llegado hasta allí.

–Además has dejado el coche fuera de la carretera; las ruedas estarán ya hundidas en el barro.

Caitlin miró hacia su viejo coche y vio que él tenía razón.

–Entonces tendré que quedarme aquí –dijo Caitlin, tratando de no aparentar decepción.

Pero sólo de pensar en quedarse allí en esa casa con aquella tormenta se le ponían los pelos de punta.

–No seas absurda.

El comentario despreciativo la fastidió aún más de lo que ya lo estaba.

–¿Y tienes alguna sugerencia mejor? –se dio la vuelta y lo miró.

Él no contestó inmediatamente, y en la pausa de la conversación un estruendo brutal resonó en el cielo.

–Bueno, supongo que tendrás que venirte a casa conmigo, ¿no te parece?

No fue la más gentil de las invitaciones, e inmediatamente una parte de ella pensó en rechazarla por orgullo. Pero estaba demasiado cansada para fingir, así que en lugar de eso asintió con la cabeza.

–Te lo agradezco –dijo.

–Y además así tendremos la oportunidad de hablar.

–¿De hablar de qué? –ella frunció el ceño.

Por un momento sus facciones quedaron iluminadas por el relámpago; los ojos oscuros estaban serenos; en su rostro de facciones duras había algo que resultaba implacable.

–De que Murdo te dejara esta casa, ¿de qué iba a ser? Ahora será mejor que salgamos de aquí antes de que las carreteras se vuelvan totalmente intransitables y tengamos que pasar la noche aquí por obligación.

Caitlin no dijo más y lo siguió afuera. Con cuidado echó el cerrojo de la puerta de la casa y se apresuró escaleras abajo.

¿Por qué querría hablar Ray del testamento de Murdo?, se preguntaba mientras lo seguía. Pero como no se le ocurría explicación alguna ignoró de momento el interrogante, dando paso a problemas más prácticos. La lluvia fría le golpeaba el rostro y se dio cuenta de que no se había abrochado la cremallera ni se había puesto la capucha.

–Voy a sacar unas cuantas cosas de mi coche –le dijo en voz alta, pero Ray no parecía haberla oído.

Mientras rebuscaba en la oscuridad del coche su maleta fin de semana entre el caos de sus demás pertenencias, Caitlin pensó de pronto en la seguridad de su vida anterior. El apartamento que había alquilado con David había estado en la zona más elegante de Manchester, y habían dedicado mucho tiempo y esfuerzo a escoger los muebles y en la decoración, convirtiéndolo en unos meses en un hogar precioso.

Entonces se puso a pensar en su vestido de novia, que todavía colgaba en el ropero. Había sido el vestido con el que siempre había soñado, con metros y metros de exquisita seda color marfil con rositas diminutas alrededor del escote. Sólo de pensar que en un par de semanas habría sido la señora de Cramer, se le formó un nudo en la garganta.

Caitlin encontró la maleta fin de semana y la sacó con cierta impaciencia. Casarse con David habría sido un tremendo error, se decía con vehemencia. Su relación se había terminado, y a ella no le pesaba en absoluto porque él no era el hombre que ella había creído que era.

Cuando se dio la vuelta se sorprendió al ver que Ray estaba justo detrás de ella para ayudarla con la maleta.

–Ten cuidado por aquí; el suelo no está firme.

–Gracias –le sonrió con vacilación; se alegraba de haberle dado la maleta, pero no pensaba tomarle la mano que él le tendía–. Ya puedo yo sola...

Pero nada más decirlo perdió el equilibrio y se tambaleó. De no haber sido por los rápidos reflejos de Ray, que la agarró de la cintura con fuerza, se habría caído al suelo. Así que al segundo se encontró pegada a él, a la silueta potente de su cuerpo. Aquella intimidad forzosa pareció provocar en ella una reacción de lo más extraña. Por un momento se olvidó de la lluvia fría que la mojaba y sólo fue consciente de su brazo fuerte agarrándola y de la sensación cálida, casi eléctrica, que su proximidad generaba en ella.

Se apartó de él con timidez y torpeza.

–Lo siento.

Lo miró a los ojos sin aliento; como si le hubiera dado un golpe que le hubiera dejado sin aire. Él la miró y sonrió.

–Te he dicho que el suelo estaba resbaladizo.

Caminó despacio detrás en él, empeñada en no necesitar más de su ayuda. El agua que inundaba la carretera le caló los zapatos y le mojó los pies.

–¿De verdad estamos en el soleado sur de Francia? –preguntó cuando ya estuvieron dentro de su cuatro por cuatro.

Ray sonrió.

–Cuando llueve aquí lo hace con ganas. Por eso esta zona es tan verde y tan bonita.

–¿De verdad? –Caitlin miró por la ventanilla pero no se veía nada más que agua–. Tendré que fiarme de tu palabra.

Pasados unos minutos, cuando el estrecho camino empezó a ensanchar, se detuvieron ante una valla.

–Esta valla marca la linde entre tu tierra y la mía –dijo mientras detenía el vehículo.

–¿Entonces para llegar a tu propiedad tienes que cruzar la mía? –le preguntó ella.

–Mi finca tiene varias entradas. Ésta no es más que una de las entradas traseras, pero sí que tengo derecho al paso –murmuró Ray–. Sin embargo es un inconveniente... y ésa es una de las razones por la que quise comprarle a Murdo su propiedad el año pasado. Cuando estuve en Inglaterra le hice una oferta muy generosa. Pero supongo que todo eso ya lo sabes.

–Pues no –Caitlin frunció el ceño–. No tenía ni idea.

–Bueno, mi oferta fue sustancial, y por eso mismo me dejó tan sorprendido cuando la rechazó y te dejó a ti la finca.

Caitlin entendió de pronto el porqué de aquel tono seco. Ray quería la finca de Murdo.

–Su herencia fue también una sorpresa para mí.

–¿De verdad?

–Sí, de verdad –Caitlin frunció el ceño–. No sé lo que intentas implicar, pero me da lo mismo el tono que uses, Ray.

Él no contestó a eso, pero sí se bajó del coche. Ella lo observó a la luz de los focos mientras abría los cinco cerrojos de la verja.

¿Estaba acaso insinuándole que de algún modo había persuadido a Murdo para que le dejara esa casa? La idea le resultaba repugnante.

Caitlin no sabía por qué Murdo le había dejado su propiedad. Cuando le había llegado la carta del abogado se había quedado de piedra. Pero el hecho de que hubiera ocurrido precisamente en un momento tan crucial de su vida le había parecido como una señal del cielo y había pensado mucho en el asunto.

Sí, era un regalo demasiado generoso, pero desde luego ella no le había influenciado en modo alguno para que se lo dejara a ella. La sugerencia era insultante.

Ray volvió al coche y cruzó las verjas abiertas. Mientras subían por la carretera estrecha y empinada el silencio se hizo muy tenso; hasta que llegó un momento en el que Caitlin no pudo soportarlo más.

–Mira, no me eches a mí la culpa porque te molestara un poco que Murdo me dejara a mí su finca en lugar de vendértela a ti. Sé que vuestra amistad es muy antigua, y que yo sólo soy una extraña en comparación, pero te aseguro que la decisión no tuvo nada que ver conmigo y que desde luego no incité a Murdo a que me dejara nada.

–Nunca he dicho que lo hicieras –dijo Ray en tono quedo–. Aunque la palabra incitar es una elección acertada.. Y estabas... digamos... vestida de un modo de lo menos adecuado para trabajar cuando te vi por primera vez...

Al pensar en el top fino y en los pantalones cortos que llevaba puestos cuando le había abierto la puerta, Caitlin se sonrojó.

–Metiste la pata totalmente. Ése era mi día libre.

–¿Y tenías la costumbre de ir a visitar a Murdo en su día libre vestida así?

La pregunta serena atizó la rabia de Caitlin.

–¡Por supuesto que no! –exclamó–. Estaba allí porque Murdo me había llamado con urgencia, y creí que era una emergencia de verdad. Pero en realidad sólo me llamó porque tú estabas allí en su casa.

–¿Porque yo estaba allí? –Ray parecía confundido.

–Bueno... sí... Tenía esta extraña idea de que... –Caitlin intentó continuar, pero le daba vergüenza.

–¿Una extraña idea acerca de qué? –Ray le echó una mirada.

Ella se encogió de hombros.

–Bueno, deberías saber que... Él pensaba que tú y yo... haríamos buena pareja.

–¡No lo dirás en serio!

Se hizo silencio por un momento, y entonces Ray se echó a reír. Aquel sonido cálido y burlón no hizo más que fastidiar a Caitlin.

–Sí, de acuerdo, Ray, ambos sabemos que es absurdo. Ni tú me gustas a mí, ni yo a ti.

–No, para ser justos nunca me has desagradado –dijo Ray negando con la cabeza–. Siempre me has parecido muy atractiva, la verdad... Sobre todo para ser una pequeña cazafortunas.

–De acuerdo, muy bien, da la vuelta –le exigió Caitlin con furia.

–¿Por qué?

El tono sereno de la pregunta aguijoneó a Caitlin aún más.

–¿Por qué? Porque prefiero pasar la noche en una casa abandonada sin electricidad que un momento más contigo en este coche, menos aún una noche bajo el mismo techo. Eres grosero, insensible y... te detesto. Por eso.

–No voy a dar la vuelta ahora –le dijo sin perder el control ni un solo momento–. Así que si quieres volver a casa de Murdo tendrás que hacerlo a pie.

Caitlin se quedó mirando el panorama del exterior, iluminado de tanto en cuanto por la descarga brillante del relámpago. Y por mucho que detestara a Ray, decidió que caminar no era una opción válida.

–Entonces llamaré a un taxi.

–Lo que quieras. Pero con el tiempo que hace no va a subir ningún taxi. Así que creo que vas a tener que quedarte conmigo esta noche, te guste o no.

Caitlin apretó los puños y sintió que se le clavaban las uñas en la piel.

–Bueno, supongo que tendré que soportarlo entonces –murmuró ella en tono seco.

–Supongo que sí –le dijo él levemente divertido.

Tras una vuelta del camino, a través de la cortina de agua, apareció un edificio impresionante, con las ventanas iluminadas en contraste con la oscuridad de la noche. Era como uno de esos castillos que uno veía en las revistas, quintaesencia de Francia, con sus torretas a los lados del edificio largo y estrecho, como las de un castillo de un cuento de hadas. Caitlin no pudo evitar preguntarse por qué estaba tan emperrado con la casa dilapidada de Murdo cuando tenía aquel palacio.

Ray aparcó delante de la puerta principal.

–Voy a sacar tu maleta. Corre, la puerta estará abierta.

Caitlin hizo lo que le había dicho y corrió bajo la lluvia hasta la puerta, por donde entró como una exhalación, contenta de estar al abrigo de aquella tormenta y lejos, aunque fuera sólo un momento, de Raymonde Pascal. ¿Cómo se atrevía a sugerir que era una especie de cazafortunas? Aún no se había recuperado de la horrible acusación.

Miró a su alrededor con aprensión, y vio que la casa era impresionante por dentro. Estaba en un amplio vestíbulo, y a través de un vano rematado con un arco vio una chimenea de piedra donde unos troncos ardían alegremente. Atraída por el calor del fuego, entró en la habitación. Era como algo sacado de un plató de cine. A ambos lados de la chimenea había unos sofás naranja pálido colocados estratégicamente, y una escalera conducía a una galería de madera que circundaba la pieza. Caitlin se acercó a la chimenea y se quedó de pie de espaldas al fuego mientras admirada los muebles antiguos, las lámparas de cristal de roca, los jarrones de flores naturales o el escritorio junto a la ventana.

Era una casa demasiado grande para vivir un hombre solo, y Caitlin se preguntó si habría en su vida alguna mujer. A Murdo no le había dado esa impresión, pero Murdo tampoco podía saberlo todo. Era cierto que Ray había enviudado unos años después de casarse, pero Caitlin calculaba que debía tener alrededor de treinta y ocho. Era mucho tiempo para que un hombre estuviera solo.

Aunque de algo estaba segura: Murdo se había equivocado de cabo a rabo si había pensado que Ray y ella estaban hechos el uno para el otro.

Ray entró en la casa con su maleta en la mano. Observó que la dejaba en el suelo para colgar su cazadora, y se fijó en el movimiento de sus músculos bajo el fino algodón de la camiseta. Estaba dispuesta a apostar lo que fuera a que no le faltaban candidatas dispuestas a ocupar su cama...

–¿Has comido? –le preguntó él, interrumpiendo sus pensamientos.

Ella negó con la cabeza.

–De acuerdo. Te enseñaré tu dormitorio y podrás cambiarte de ropa mientras echo un vistazo a ver qué hay en la cocina. Desgraciadamente mi ama de llaves se ha tomado unos días de descanso, de modo que tendrás que sufrir mi cocina.

–No quiero comer nada –dijo ella con cortesía acartonada–. Así que si no te importa voy a acostarme.

–Pues claro que quieres comer algo. Debes de estar muerta de hambre –le dijo él mientras se acercaba a ella–. Siento haber dicho que pensaba que eras una cazafortunas, ¿vale? Así que si no te importa deja ya la fachada de princesa de hielo.

El tono natural de su disculpa no consiguió calmar su enfado.

–No me vale –le dijo con frialdad–. Ese comentario ha sido muy insultante.

Él se encogió de hombros.

–Sabes que no puedes extrañarte por pensar lo que he pensado. Murdo no dejaba de ensalzar tus virtudes o de decirme lo bella que eras. Quería hablarle de negocios, y él sólo sabía hablarme de ti. Yo pensaba que estaba enamorado de ti.

–Él tenía sesenta y cinco. Yo tengo veintinueve –le dijo Caitlin con rigidez.

–¿Y qué quiere decir eso? –le preguntó Ray en tono suave.

–Me parece asqueroso.

Ray se encogió de hombros.

–No sería la primera chica de veintinueve años que se gana el corazón de un hombre mayor... y rico.

–Estaba prometida en matrimonio –dijo Caitlin con furia.

–Murdo lo mencionaba a menudo, y también que no le gustaba tu prometido.

Caitlin notó los latidos acelerados de su corazón. Siempre le había parecido irracional que a Murdo no le cayera bien David; después de todo, apenas lo había conocido. Pero a la luz de los últimos descubrimientos parecía que Murdo no se había equivocado.

–Es lógico que yo me preguntara si habría algo entre vosotros –dijo Ray.

–Ésa era tu imaginación calenturienta. ¡Entre Murdo y yo no había nada!

Ray se encogió de hombros.

–Y luego estuvo esa vez en la que te oí asegurarle que yo no te atraía en absoluto...

–¡Yo no le estaba asegurando nada! –soltó Caitlin muy enfadada–. Le estaba diciendo claramente lo absurda que era esa idea que tenía sobre nosotros.

Ray sonrió.

–Volviendo la vista atrás entiendo que tal vez me equivocara entonces.

–Desde luego cometió un grave error –dijo Caitlin con firmeza.

Ray asintió.

–De acuerdo. ¿Y ahora que lo hemos aclarado del todo, qué te parece si te llevo arriba para que te refresques un poco antes de cenar?

Caitlin se encogió de hombros. La verdad era que tenía un poco de hambre, y se moría por darse una ducha caliente. Y como parecía que se había disculpado...

–De acuerdo.

–Bien –dijo él.

Él sonrió, y Caitlin se fijó en que tenía los ojos casi tan oscuros como el pelo; había algo en sus ojos que le resultaba muy sensual.

–Me alegro de haber aclarado eso –añadió Ray.

Alargó la mano y, para consternación de ella, le retiró un mechón de cabello húmedo de la cara. El gesto fue, cosa rara, de lo más tierno; y cuando alzó la vista y lo miró a los ojos el estómago se le encogió y experimentó una oleada de pura atracción física durante un breve instante. Retrocedió apresuradamente. ¿Qué demonios le pasaba?, se preguntaba con nerviosismo. Detestaba a Ray... Lo detestaba con todas sus fuerzas.

–¿Y, dime, dónde está tu prometido?

La repentina tensión le resultó casi tan desconcertante como la sensación que acababa de envolverla.

–Está en Manchester.

–Bueno, me había dado cuenta de que no está aquí –dijo Ray en tono sardónico.

El estallido del trueno resonó en el salón y las luces parpadearon.

–Parece que la tormenta está justo encima de nosotros –dijo Caitlin con nerviosismo.

–Sí, eso parece –Ray se dio la vuelta–. Vamos, te acompaño a tu habitación.

Aliviada por haber podido dejar de lado el tema de David, Caitlin lo siguió al piso superior. Ray abrió una puerta y la invitó a pasar a un dormitorio con las paredes pintadas de amarillo limón muy pálido.

–Esa puerta es un cuarto de baño –Ray señaló hacia el otro extremo de la habitación–. Ponte cómoda.

–Gracias.

Él asintió, pero cuando fue a darse la vuelta se detuvo un momento.

–Creo que al final no me lo has dicho... ¿Tu prometido va a reunirse contigo aquí?

La miraba muy de cerca, y Caitlin se dio cuenta de que, aparte de ser increíblemente sexy, su mirada resultaba abrumadora de tan intensa como era, como si pudiera entrar en su alma y descubrir sus secretos.

Su intención era decirle que había cancelado su compromiso con David, pero en lugar de eso le dijo algo totalmente distinto.

–Sí. Sólo que por el momento está demasiado atareado para venir.

–Entiendo –Ray sonrió, y ella se preguntó si él se estaría dando cuenta de que David nunca iría allí–. Bueno, te dejo para que te asees. Baja cuando estés lista.

Caitlin se quedó inmóvil mientras él cerraba la puerta. ¿Por qué habría hecho eso? ¿Por qué había mentido?

Tal vez no fuera más que su orgullo pisoteado el que no le dejaba reconocer que había cometido un error con David. O tal vez fuera porque cuando estaba con Raymonde Pascal se sentía vulnerable. No sabía qué era, pero aquel tipo la fascinaba de un modo extraño.

Capítulo 2

LA TORMENTA seguía rugiendo en el exterior mientras Caitlin terminaba de secarse el pelo. Los vaqueros salpicados de barro habían sido sustituidos por unos limpios azul pálido y la camiseta mojada por un top negro de escote amplio. Nada elegante, pero por lo menos su aspecto era humano de nuevo. Su cabello negro brillaba y tenía un aspecto muy sano, y la ducha le había devuelto cierto color a sus mejillas.

Caitlin se miró la cintura y vio que había perdido peso. Siempre que estaba preocupada le pasaba lo mismo. Y las últimas semanas habían sido las peores de su vida.

Lo extraño era que en ningún momento había visto venir lo que se le había avecinado. Todo había estado tan bien atado... la fecha de boda fijada... Sí, le habían surgido algunas dudas pasajeras con respecto al matrimonio, pero las había atribuido a los nervios propios de la situación.

Caitlin había pensado que amaba a David. Lo único que le había inquietado de vez en cuando era el hecho de que nunca había encendido en ella la pasión de un modo total. Pero siempre que pensaba eso lo rechazaba inmediatamente, sintiéndose culpable de haber siquiera perdido el tiempo pensando en ello. David, con su buen carácter y su modo de hacerle reír. David era muy mono, con cara de niño. Nada que ver con la belleza de Ray, pero atractivo de todos modos, con el cabello rubio y fuerte, los ojos grises y un físico agradable. Sobre todo se había sentido segura con David. Y después de la relación desastrosa que había tenido antes de estar con él, esa sensación de seguridad había sido importante para ella. Había estado lista para formar una familia... Su treinta cumpleaños se acercaba y sentía que su reloj biológico se había puesto en marcha.

David había accedido a que empezaran a buscar el bebé justo después de la boda. Caitlin recordaba cómo después de esa discusión en particular él la había abrazado y le había prometido que le haría feliz.

Al igual que ella, David no tenía miedo al trabajo. Tenía una profesión con gran futuro y todo lo que acompañaba un puesto así; un deportivo, ropa de diseño y un gusto por la buena vida. Se divertían juntos y tenían un buen círculo de amigos. Nada le había sugerido que David no fuera el hombre respetado y responsable que aparentaba ser.

Entonces unos meses atrás, había llegado un día a casa sin el coche. Le había dicho que se lo habían robado, y Caitlin no se había planteado que pudiera no haber sido así. En ese momento había estado muy preocupada con Murdo como para prestarle demasiada atención a otras cosas. Su salud se había deteriorado mucho, y ella había pasado con él la mayor parte de su tiempo libre. Entonces una noche había llegado tarde a casa y había creído que habían entrado a robarlos. La tele había desaparecido, al igual que el equipo de música y el reproductor de DVD. En realidad, se habían llevado todo lo de valor, incluidas algunas joyas. Estaba sola en el piso y muerta de miedo. David llegó cuando ella estaba llamando a la policía.

–No hace falta que la llames –le había dicho con calma–. Ya han estado aquí.

Caitlin lo había creído. No había habido razón para no creerlo. Confiaba en él.

No fue hasta pasada una semana, cuando ella llamó a la policía para ver cómo iba la investigación, que se había enterado de que David le había mentido y que estaba pasando algo muy gordo, porque el robo jamás había sido denunciado.

Cuando fue a ver a Murdo ese día no había querido decirle nada, pero él la había agarrado del brazo cuando ella había ido a levantarse de su cama.

–¿Dime qué te pasa? –le había preguntado con brusquedad.

–Nada.

No la había soltado, sorprendiéndola con la fuerza que todavía tenía en las manos.

–Siempre hemos hablado, Caitlin.

Había tirado de ella, y ella se había vuelto a sentar en la cama.

–Se trata de este robo... David no lo denunció; al menos, la policía dice que no hay denuncia alguna. Y cuando lo llamé al trabajo para preguntarle, se puso furioso conmigo, dijo que la policía había cometido un error y que habría perdido el informe o algo así. Me dijo que él se ocuparía después y que yo no debía meterme.

Recordaba la cara que había puesto Murdo. Entonces estaba débil; tenía la piel gris, del color de su pelo, pero en esos momentos había visto un atisbo de su vitalidad de siempre en la repentina rabia de sus ojos oscuros.

–¿Y lo crees?

Caitlin se encogió de hombros y desvió la mirada.

–¿Por qué iba a mentir?

–Tal vez David no sea lo que parece –dijo Murdo en voz baja–. No te he dicho esto antes, Caitlin. Pero hace mucho tiempo... más o menos unos cinco meses después de empezar tú a trabajar para mí, David te vino a recoger. Había dinero en la mesa de centro del salón. Y cuando él se marchó... también desapareció el dinero –Murdo notó la expresión de horror en su cara–. No te dije nada porque sabía que ibas a poner la cara que estás poniendo ahora y, además, no tenía pruebas y no quería que te enfadaras conmigo.

–¿Cuánto dinero se llevó? –le había preguntado Caitlin muy disgustada.

–El dinero no importa –dijo Murdo con desprecio–. No era tanto de todos modos. Eres tú quien me importa –le apretó la mano–. Si yo hubiera tenido una hija... me habría gustado que fuera como tú; lo sabes, ¿verdad? Y agradezco todo lo que has hecho por mí...

–Murdo, no tienes que decirme esto –le había dicho ella llorosa.

–Sí que tengo que decírtelo. Porque el tiempo que nos queda de estar juntos toca a su fin. Y quiero que sepas que me preocupa lo que te ocurra a ti, y que quiero que seas feliz. Y, francamente, Caitlin, no creo que David sea la persona adecuada para ti.

Sólo de pensar en esa conversación, una de las últimas que había mantenido con Murdo, se le llenaban los ojos de lágrimas.

Resultaba curioso el modo en que Murdo y ella habían congeniado. Entre ellos no había habido ni parentesco ni proximidad en edad, sin embargo cuando había muerto para ella había sido como si hubiera muerto un miembro de su familia.

Murdo no se había equivocado con David. Cuando había vuelto esa noche al apartamento, Caitlin había abierto armarios y cajones para ver si podía averiguar algo de lo que estaba pasando. Y fue entonces cuando descubrió los resguardos de la tienda de empeños y las tarjetas de crédito conjuntas de las que ella no sabía nada. Tarjetas con facturas de las que parecía que ella también era responsable...

Resultó que David tenía un grave problema con el juego, aunque él no lo veía así. Cuando se había enfrentado a él, él se había puesto violento con ella y su tono de voz la había asustado. Le había parecido un extraño cuando le había informado que podría hacer lo que quisiera con su vida, que sencillamente estaba pasando un mal momento, y que si le dejaba en paz lo arreglaría en unas semanas.

Incluso mientras salía del apartamento con sus cosas él le había estado diciendo que lo arreglaría todo, que no fuera estúpida, que era algo que le había ocurrido antes. Y que por supuesto seguirían adelante con la boda.

Si David esperaba que volviera a él, iba a tener que esperar mucho tiempo.

¿Pero quedarse en Francia? Mientras bajaba las escaleras iba dándole vueltas a esa cuestión.

Aparte del fuego que seguía crepitando en la chimenea de piedra, el salón estaba a oscuras.

–¿Ray?

Caitlin se detuvo al pie de las escaleras, preguntándose hacia dónde ir.

No obtuvo respuesta, tan sólo el estruendo del trueno y el brillante destello de la tormenta iluminando los árboles al otro lado de las ventanas de celosía.

–¿Ray?

Avanzó despacio por el pasillo, mirando hacia las puertas abiertas y las habitaciones a oscuras. Entonces, al dar la vuelta a una esquina, vio luz al final de un pasillo y oyó el murmullo de una radio.

–Ah, aquí estás –bajó el fuego de un quemador cuando ella entraba por la puerta–. Tienes mejor aspecto –le dijo, mirándola de arriba abajo.

–Bueno, no ha sido tan difícil; antes estaba horrible.

–No es cierto... Estabas... –hizo una pausa, buscando en su inglés perfecto la palabra adecuada–. Agotada.

–Bueno, llevo conduciendo desde las cuatro de la madrugada... y al ver la casa me he quedado un poco asustada. Por no hablar de tus horribles acusaciones.

–Eh –la agarró del brazo al pasar junto a él–. Me he disculpado por eso... ¿No podríamos olvidarlo? –le dijo, mirándola a los ojos fijamente.

Ella se encogió de hombros, sintiéndose de nuevo incómoda.

–Sí, supongo que sí.

–Bien –le sonrió, y ella sintió como un revoloteo en su interior.

¿Qué diantres le pasaba? A ella no le gustaba ese hombre; era arrogante, irritante y, además, ella pasaba de los hombres, seguramente para el resto de sus días. Se apartó de él con cuidado y fue hacia la cocina.

–¿Puedo ayudar?

–No, está todo listo. He preparado pasta... Espero que te parezca bien –añadió Ray.

–Muy bien.

–De acuerdo; voy a poner la mesa del comedor y podemos irnos para allá.

–Comamos aquí, ¿te parece? –le dijo Caitlin rápidamente, a quien no le apetecía en absoluto abandonar el calor de aquella cocina para acceder a la oscura intimidad de un comedor.

Había algo en aquel espacio bien iluminado que le infundía seguridad; en los estilosos muebles de pino, en la moderna estufa y en el murmullo de la radio, aunque fuera en francés.

–Si lo prefieres –dijo él encogiéndose de hombros.

–¿Quieres que ponga la mesa? –le dijo ella rápidamente al ver que él abría el cajón de los cubiertos–. Así por lo menos hago algo.

–De acuerdo –él se retiró–. Yo voy a abrir una botella de vino.

–Qué bien –dijo Caitlin mientras quitaba las cosas que había encima de la mesa de pino.

Cada uno se sentó en un extremo de la mesa. Caitlin lo miró con aprensión y notó que se había cambiado de ropa desde que habían vuelto y que ahora llevaba camisa y pantalón oscuros. El atuendo era más formal y le daba un aspecto aún más imponente.

¿Qué tendría Ray que la enervaba de aquel modo?, se preguntaba Caitlin mientras lo observaba con disimulo. ¿Sería la facilidad que tenía para fastidiarla? ¿O tal vez lo guapo que era? ¿O ambas cosas? Había en él un poder latente, una mirada que la atraía como un imán y la dejaba sin aliento. Todo en él le resultaba emocionante, desde el estilo con que vestía hasta el leve acento francés con que hablaba inglés, que a ella le hacía estremecerse con sensualidad. Y después estaban sus ojos... Sin duda eran su arma más peligrosa, oscuros y penetrantes, y tenían un modo de atravesarla a una que resultaba desconcertante y alarmante al mismo tiempo.

Como si hubiera sentido su mirada, él alzó la vista y la miró. El impacto fue intenso. De todos modos, siempre había sido así; cuando se habían conocido hacía justo un año, él la había mirado y sus sentidos se habían vuelto locos. Que un hombre pudiera controlar de aquel modo sus sentidos la había asustado entonces... Y seguía asustándola.

Él esbozó una sonrisa levemente divertida.

–Bueno, estoy seguro de que Murdo estaría encantado de vernos juntos aquí esta noche –dijo él–. ¿Así que qué te parece si brindamos por los amigos ausentes?

–Por los amigos ausentes... –Caitlin levantó su copa y tocó la suya.

Él le sonrió y ella sintió la misma leve inquietud que le decía que debía estar muy al tanto de todo y no perder la cabeza.

Rápidamente apartó la mirada.

El silencio que siguió fue ocupado por el repiqueteo de la lluvia contra la ventana y la suave melodía de la canción francesa que sonaba en ese momento en la radio.

Miró la botella y vio que tenía una etiqueta con el nombre de Pascal en ella.

–¿Esto tiene alguna relación contigo?

–Es de esta finca. Pero ahora yo no tengo casi nada que ver con ello. Mi primo es el que lleva la producción vinícola de la zona; yo sólo le arriendo la tierra.

–Eso está muy bien.

–No está mal –asintió Ray–. ¿Entonces, cuánto tardaste en llegar hasta aquí? –le preguntó, cambiando de tema.

–Hice una parada en casa de mi madre en Londres. Después salí a las cuatro de la madrugada pasada.

–Es mucha carretera. Deberías haber tomado un avión desde Manchester.

–Quería traerme tantas cosas como me fuera posible. Además, así podía ver a mi madre antes de marcharme.

Caitlin recordó la cara de horror de su madre cuando le había dicho que su relación con David había terminado definitivamente y que se iba a vivir a Francia.

–¿No podría haberte traído David después tus pertenencias? –le preguntó Ray.

Caitlin intentó concentrarse en lo que él le estaba diciendo y olvidar lo que le había dicho su madre, que había intentado convencerla de que se quedara en Londres con ella y reflexionara.

–¿De verdad quieres terminar con David? –le había preguntado su madre con desazón–. Ya hemos enviado todas las invitaciones. Sólo faltan unas semanas para la boda, Caitlin. Seguramente serán los nervios y nada más.

No había querido contarle a su madre que la ruptura había sido provocada por algo más serio que los nervios. La verdad hubiera sido demasiado fuerte para los oídos de su madre. Había preferido aparentar que estaba tranquila, como si la ruptura hubiera sido algo positivo y amigable.

–¿Caitlin?

–Ay, lo siento –consciente de que Ray estaba esperando una respuesta, recuperó rápidamente la compostura–. Supongo que David podría haber venido después en coche y haberse traído mis cosas, pero como te dije antes, ahora tiene mucho trabajo –le dijo a modo de explicación.

–¿A qué se dedica? –le preguntó Ray.

Caitlin jugueteaba con su copa. ¿Por qué no dejaba de preguntarle cosas sobre David?

–Trabaja en publicidad –con gran esfuerzo le echó una mirada y cambió de tema–. ¿Y tú? –le preguntó–. ¿A qué te dedicas?

–Soy arquitecto.

–Ah, sí, recuerdo que Murdo me lo dijo –sonrió–. Me dijo que eras una combinación de genio creativo y de empresario muy dedicado al trabajo, y que a veces eras un poco excéntrico.

–Viniendo del rey de la excentricidad, me lo tomaré como un elogio –dijo Ray de buen talante.

–Bueno, él era un artista, de modo que supongo que les está permitido ser excéntricos –dijo Caitlin con reflexión.

Ray sonrió.

–Supongo que sí –concedió Ray–. Sus pinturas se están vendiendo por grandes sumas de dinero, según parece.

–Sí, eso he oído –dijo Caitlin.

–Me dejó dos en herencia, por cierto. Aún no las he recibido; las están embalando y creo que me las van a enviar la semana próxima –anunció Ray.

–Qué amable por su parte –Caitlin miró a Ray con vacilación–. Parecía tenerte mucho cariño.

–Era un amigo de la familia de toda la vida –Ray se encogió de hombros–. El padrino de boda de mis padres, y después, cuando murió mi padre, ayudó a mi madre a pasar aquellos momentos tan difíciles para ella.

–No sabía que el vínculo fuera tan estrecho –comentó Caitlin–. Aun así no viniste a su funeral.

Lo había buscado aquel día aciago, y se había disgustado al ver que no estaba junto a su tumba.

–Estaba en París en viaje de negocios. No me enteré de que había muerto muerto hasta una semana después; entonces ya fue demasiado tarde.

–Entiendo.

–¿Entonces, qué vas a hacer con la casa de Murdo? –le dijo Ray, cambiando de tema–. Sé que heredarla fue una sorpresa, pero estoy seguro de que el estado de la misma ha sido una aún mayor.

–Sí. No sé qué esperaba, pero desde luego no era eso.

–Intenté decirle a Murdo que la casa se estaba cayendo, pero no creo que me escuchara.

–Eso se le daba bien –Caitlin sonrió–. Si no quería oír algo, desconectaba totalmente. Como habría dicho mi abuela, tenía un oído muy selectivo.

Ray se echó a reír.

–Tienes toda la razón.

–Y a veces era un cascarrabias... –Caitlin sonrió–. Pero, cosa rara, voy a echarlo mucho de menos. Nos hicimos inseparables en los dos años que cuidé de él –levantó rápidamente la vista–. Bueno, cuando digo eso quiero decir que... era como una figura paterna para mí –se apresuró a explicarle.

–Relájate, Caitlin –le dijo Ray mientras sacudía la cabeza–. Creo que eso ya lo hemos dejado claro.

–Bueno... supongo que aún no he superado el que creyeras que Murdo estaba enamorado de mí... Eso es una locura.

Ray se encogió de hombros.

–Siempre le gustaron las mujeres bonitas.

–También estaba muy enfermo.

–Pero no lo suficiente para hacer un poco de casamentero, ¿verdad?

–A veces se le ocurrían unas cosas muy raras –murmuró ella.

–Sí, muy raras –dijo Ray con pesar–. He estado pensando en ello, y supongo que por eso mismo te dejó esta casa. Fue por un último intento de juntarnos.

–No... No lo creo –dijo Caitlin rápidamente.

Ray la miró a los ojos.

–¿Por qué no? Ahora que lo pienso parece obvio. Cuando a Murdo se le metía una idea en la cabeza, era muy testarudo.

–Aun así, no creo que fuera tan tenaz –dijo Caitlin en tono firme; quería sacar totalmente esa sugerencia del pensamiento de Ray del mismo modo que lo había hecho en el suyo–. Es totalmente absurdo.

–Totalmente –Ray la miró a los ojos y sonrió–. Igual que el pensar que fueras a vivir en esa casa. Ese lugar está inhabitable, y costará mucho trabajo arreglarla. Razón por la cual creo que lo mejor sería que me la vendieras...

–Espera un momento... –Caitlin interrumpió su afirmación tajante, instantáneamente a la defensiva–. Acabo de llegar, Ray, y espero poder quedarme con la casa. Me gusta la idea de vivir en la campiña francesa y el trabajo duro no me asusta.

–Estoy seguro de que es así. Pero tienes que reconocer que la casa te quitará mucho tiempo y energía, tendrías que contratar a constructores y decoradores, y estoy seguro de que ni David ni tú habláis francés.

–Yo hablo un poco de francés –alzó el mentón y lo miró con aire desafiante; una cosa era que decidiera no quedarse, y otra que le dijeran que no era capaz de hacerlo–. Y manejo muy bien la brocha.

Para fastidio suyo, a Ray pareció hacerle gracia ese comentario.

–Creo que vas a necesitar algo más que una mano de pintura para arreglar esa casa.

–No soy incapaz.

–Y también está la tierra –continuó Ray como si ella no hubiera dicho nada–. Más de cien olivos y un pequeño viñedo.

–No sabía que hubiera un viñedo.

Ray asintió.

–Murdo no producía vino; vendía las uvas. La verdad es que para él era una especie de hobby.

–Yo podría hacer eso –dijo Caitlin en tono reflexivo.

–Vamos, Caitlin –Ray sacudió la cabeza–. No lo dirás en serio, ¿verdad?

–¿Por qué no?

–Porque, como he dicho, cuidar de un sitio así requiere cierta experiencia.

–Podría aprender –respondió ella–. Soy capaz de hacer cualquier cosa que me proponga.

–Tal vez pudieras... –empezó a decir Ray pausadamente mientras percibía la determinación en su mirada–. ¿Pero por qué ibas a querer hacerlo? Eres enfermera profesional.

–Me apetece un cambio de rumbo –jugueteó con la copa de vino; su profesión le había resultado gratificante, pero últimamente también agotadora, tanto física como emocionalmente, y después del trauma de la ruptura con David le apetecía pasar página–. En realidad, estaba pensando en transformar la vieja casa de Murdo en una especie de hostal.

Por un momento Ray entrecerró los ojos.

–¿Y qué piensa David de eso?

Caitlin frunció el ceño. ¿Por qué no dejaba de meter a David en la conversación? La irritaba profundamente.

–Aún no tengo nada decidido –dijo para no comprometerse–. Tendré que echarle un vistazo a la luz del día.

–Quieres decir que a él no le hace mucha gracia –dijo Ray en tono seco.

Ella lo miró con frialdad.

–Ésta es mi decisión, no la de David.

–Llámame anticuado, pero pensé que cuando uno se prometía en matrimonio, las decisiones se tomaban entre los dos –le dijo sin rodeos.

Vio que se ponía colorada y fue a llenarle la copa de vino.

–Lo siento, no es asunto mío.

–Tienes razón, no lo es.

Por un momento Ray permaneció en silencio.

–Me parece que la casa ya te está acarreando problemas. Y va a ir a peor. Ese lugar es un desastre, y desde luego no es el adecuado para una mujer sola.

–Eres muy paternalista, ¿lo sabías?

–Bueno, siento que te lo parezca –alzó la vista y la miró–. Pero sólo intento ser sincero. Así que mejor será que vayamos al grano, ¿de acuerdo? Pues bien... Quiero ese terreno, y la oferta que le hice a Murdo sigue en pie.

Ella lo miró pensativa.

–Aún no he decidido lo que voy a hacer con la casa, Ray. No he tenido tiempo de pensarlo...

–Bueno, déjame entonces que te ayude a pensar con mayor claridad –la interrumpió con impaciencia y entonces nombró una suma de dinero muy grande.

De momento Caitlin no dijo nada, demasiado sorprendida para responder.

Él la miró a los ojos.

–Es una oferta generosa, teniendo en cuenta el estado de la casa.

–Estoy segura de que así es –murmuró, totalmente perpleja.

–Bueno, piénsatelo –dijo, sonriendo de pronto–. Cuando le hayas echado un vistazo a la finca a la luz del día podrás darme una respuesta.

A Caitlin no le gustaba su actitud petulante, y desde luego no le gustaba que pensara que no era capaz de enfrentarse al desafío, o que fuera a renunciar al sueño de iniciar una nueva vida. Pero tenía que ser sensata. El lío en que la había metido David había dejado sus ahorros tristemente diezmados, y no sabía si podría permitirse las remodelaciones que necesitaba la casa.

–De acuerdo –inclinó la cabeza–. Lo pensaré. Pero creo que debo decirte que vender la casa no es una opción por la que me incline.

–¿Por qué no?

Caitlin se encogió de hombros.

–Aparentemente Murdo puso unas cuantas condiciones en su testamento para cubrir esa posibilidad.

–¿Qué clase de condiciones? –le preguntó Ray.

Caitlin notó que se ponía tenso y no pudo menos que sonreír. Parecía que Ray era de los que pensaban que todo se arreglaba con el dinero. Pero tal vez no había contado con la determinación férrea de Murdo.

–De verdad que no tengo idea –se encogió de hombros–. Me quedé tan abrumada con el generoso regalo de Murdo que no presté mucha atención a los detalles. Era algo sobre que debía esperar seis meses. O que tenía que vivir aquí durante seis meses... –se encogió de hombros–. Algo así.

Ray tamborileó con los dedos sobre la mesa con gesto impaciente.

–Bueno, supongo que eso podremos arreglarlo. Con la ayuda de un buen abogado suele haber salidas a la mayoría de los problemas.

–Tal vez –Caitlin dio un sorbo de vino antes de continuar–. Pero eso es si decido vender –dijo sin poder contenerse.

–En cuanto le eches otro vistazo a esa casa creo que estarás de acuerdo con que mi oferta es justa –Ray alzó su copa en señal de saludo.

Caitlin puso sus cubiertos derechos. No le apetecía brindar por eso. El pensar en empezar de nuevo en Francia había sido lo único que había ocupado su pensamiento en esas últimas semanas. Había sido un rayo de esperanza en su de otro modo sombrío futuro. Volver a Inglaterra no era algo que la alegrara.

–No te he prometido nada –le dijo en tono bajo–. Y debo decirte que no voy a correr para quebrantar el testamento de Murdo. Lo respetaba demasiado como para hacer eso.

–Está claro que eres una mujer de mucha integridad –le dijo él.

Lo miró, preguntándose si no estaría burlándose de ella.

–¿Para ser una cazafortunas, quieres decir?

Él esbozó una sonrisa de pesar.

–Pensé que habíamos dejado ya eso.

–Yo también. Pero tu tono de voz me hace dudar.

Por un momento sus miradas se encontraron. Su modo de mirarla la empujó a alzar la barbilla ligeramente y con cierto aire de desafío.

–Así que, como he dicho antes... No voy a prometerte nada. Soy una mujer a la que le gustan los retos y tal vez esa casa sea precisamente lo que estoy buscando.

A sus ojos oscuros asomó un destello de emoción, y entonces la sonrisa iluminó la curva sensual de sus labios.

–De pronto entiendo por qué tal vez Murdo pensara que tú y yo estamos hechos el uno para el otro.

–¿De verdad? –dijo Caitlin, asombrada por la observación–. ¿Y cómo es eso?

–Porque a mí también me gustan los desafíos, Caitlin.

Desconcertada, Caitlin tuvo que desviar la mirada. No sabía qué decir a eso.

En el exterior el trueno rugió amenazadoramente, llenando el silencio entre los dos. Las luces parpadearon.

De pronto Caitlin sintió que había soportado demasiado para un solo día. Lo único que le apetecía era refugiarse en el santuario de su dormitorio.

–Bueno, creo que me voy a acostar ahora si no te importa.

–En absoluto –recogió los platos vacíos y los llevó a la pila–. ¿Te apetece un café antes de subirte?

–No, gracias. Estoy muy cansada –estaba levantándose de la mesa cuando su teléfono móvil empezó a sonar.

El teléfono estaba sobre la encimera y Ray lo tomó para pasárselo.

–Lo has dejado aquí cuando estabas poniendo la

mesa –Ray miró la pantalla antes de pasárselo–. Es tu prometido.

–Gracias.

El corazón empezó a latirle de aprensión mientras aceptaba el aparato. Entonces, cuando Ray se dio la vuelta, cortó la llamada. No quería hablar con David esa noche.

–Se ha cortado –dijo Caitlin al ver que Ray la miraba con curiosidad.

Antes de apagar el teléfono del todo, empezó a sonar de nuevo.

–Si no te importa, voy a hablar desde la otra habitación –salió rápidamente de la cocina al pasillo y apagó los tonos de su teléfono.

El salón continuaba a oscuras, el fuego casi se había consumido. Caitlin se sentó en el borde del sofá e intentó recuperar la compostura. Sólo de pensar en David se ponía enferma. No podía enfrentarse a ello... Sentía demasiado dolor por dentro... demasiada angustia.

La habitación estaba en silencio, tan sólo interrumpido por el ruido de la lluvia golpeando los cristales. ¿Se habría arrepentido David de su comportamiento?

Aunque estaba furiosa con él, en parte también sentía lástima por David. Estaba claro que necesitaba ayuda.

–¿Estás bien?

La voz de Ray la empujó a intentar por todos los medios aparentar normalidad.

–Totalmente –la voz le tembló un poco, y tragó saliva antes de continuar–. Todo va bien.

Encendió una de las lámparas y la miró; sus ojos oscuros estudiaban su expresión.

–Según parece en Manchester hace un tiempo horrible –mintió con entusiasmo mientras esbozaba una sonrisa superficial.

–Sé que no has hablado con él, Caitlin –le dijo Ray con calma.

–Pues claro que he hablado con él –sentada muy derecha, observó a Ray que se acercaba a la chimenea y echaba otro tronco.

–No es cierto; le colgaste –le dijo Ray mientras atizaba el fuego hasta que las llamas crepitaron de nuevo con avidez alrededor del tronco.

Ella lo miró a los ojos con cierto fastidio y decidió ignorar el tema. No quería hablar de ello, y además no era asunto de Ray.

–No sé de dónde te has sacado esa idea tan rara... Bueno, gracias por la cena. Me voy a dormir si no te importa.

Desgraciadamente, de camino a las escaleras tuvo que pasar por delante de él, y fue entonces cuando él la sorprendió cuando le tomó la mano izquierda.

–Las ideas raras empezaron cuando me di cuenta de esto.

Caitlin bajó la vista mientras él le pasaba el pulgar por la estrecha marca de piel blanca en el dedo anular.

–Es un tanto significativo, Caitlin –añadió Ray en tono suave–. Lo noté enseguida después de la cena. Si fueras mi prometida no me gustaría que te marcharas sola sin el símbolo de nuestro amor visiblemente en su lugar.

Ella se miró el dedo, el dedo donde había llevado el anillo de David durante tres años, y se estremeció; pero no fue por el compromiso roto, sino por el modo en que Ray la tocaba y por la nota íntima de su tono de voz.

Ella se apartó de él.

–Qué observador –dijo con voz temblorosa, muy a su pesar–. ¿Si lo notaste enseguida, por qué seguiste preguntándome por David?

–Porque se me ocurrió que sería mejor que me lo contaras cuando mejor te pareciera –contestó Ray.

–Supongo que ahora vas a decirme lo que necesito, ¿no? –dijo Caitlin con ironía.

Ray le puso un dedo bajo el mentón y le subió la cabeza para que lo mirara.

–Necesitas un buen amigo, y en ausencia de Murdo y de todas las demás personas que dejaste atrás en Inglaterra... Si necesitas hablar, a mí me gusta escuchar.

–No necesito hablar –se apartó de él porque el mero roce de su dedo empezaba a descolocar sus sentidos–. Estoy bien... completamente bien.

–Si tú lo dices.

–En serio.

–Entonces Murdo tenía razón. David no era el hombre adecuado para ti.

Su mirada seria e intensa consiguió que se estremeciera aún más.

Caitlin apartó la mirada de él, totalmente confundida.

–Bueno, tal vez...

–Entonces deberías decirte a ti misma que afortunadamente te has librado de él por los pelos.

Caitlin pensó en los planes y en los sueños que había tenido acerca de la boda, del bebé que deseaba tener.

–No me siento muy afortunada –dijo con voz ronca.

Por un momento Caitlin se mostró tal y como se sentía, y Ray vio la sombra de vulnerabilidad en los preciosos ojos verdes que lo miraban.

–Bueno, que pases buena noche –continuó ella en tono enérgico.

–Buenas noches, *chérie* –le dijo mientras ella ya se alejaba–. Dulces sueños.

Capítulo 3

A PESAR de estar muy cansada, Caitlin no podía dormir. No dejaba de dar vueltas en la cama, y el pensamiento la catapultaba de la vida que había dejado atrás hasta aquel lugar nuevo y extraño donde se encontraba en ese momento. Allí tumbada, escuchando el ruido de la lluvia en los cristales, pensó en la casa vieja que había bajando la carretera, con sus paredes desmoronándose y sus cuartos destartalados. ¿Habría cometido un error yendo a Francia?

Caitlin se despertó asustada, con el corazón latiéndole con fuerza, y se incorporó en la cama. Había soñado con su boda, sólo que al llegar al altar y mirar a su futuro marido a la cara, no había sido la cara de David, sino la de Ray la que había aparecido en el sueño.

La bonita habitación le resultó de pronto desconocida. El sol se colaba por entre las cortinas a medio descorrer, reflejándose en el espejo de la coqueta de madera oscura y de ahí en sus ojos adormecidos.

Le llevó unos momentos recordar dónde estaba, y otro más percatarse de que el corazón le latía con fuerza a causa de aquel sueño. Se recostó sobre la almohada y suspiró. ¡Qué sueño más ridículo! ¡Mira que pensar que se casaba con Ray! Aunque fuera partidario del matrimonio, cosa que dudaba mucho, desde luego no era su tipo.

Retiró la ropa de cama y se acercó a la ventana. Los nubarrones habían desaparecido, dando paso a un brillante cielo azul. La campiña ondulada, moteada de viñedos y verdes prados llenos de amapolas rojas, brillaba cubierta por una fina calima. El paisaje era tan precioso que Caitlin apenas si podía esperar para salir. Olvidada la pesadilla, se metió en la ducha.

No parecía haber nadie en la planta baja. Caitlin fue a la cocina y puso el hervidor antes de quedarse delante de la ventana que había junto a la pila contemplando las montañas violeta en la distancia.

¿Qué le depararía ese día? Supuso que debería llamar a su madre para decirle que había llegado bien. Entonces se preguntó dónde estaría su teléfono. No recordaba haberlo visto esa mañana en su habitación. Fue rápidamente al salón, pensando si lo habría dejado allí la noche anterior. Estaba buscándolo por detrás de los cojines cuando bajó Ray.

–¿Buscas esto? –le dijo con el teléfono en la mano.

–Sí –Caitlin se puso derecha y esperó a que él se acercara a ella.

Ray no era sólo guapo, era guapísimo. Como ella, llevaba puestos unos vaqueros que le ceñían la cintura y las caderas esbeltas, y la camisa azul claro recalcaba más la anchura de sus hombros.

Cuando él le pasó el teléfono, ella intentó evitar rozarle la mano. No sabía por qué, sólo que le daba desconfianza.

–¿Has dormido bien, entonces? –le preguntó él.

Ella alzó la vista, y al mirarlo a los ojos el impacto de su mirada consiguió que se derritiera por dentro.

–Sí, gracias –contestó, recordando de pronto su ridículo sueño.

–Bien –Ray sonrió–. Vamos a desayunar y después nos ocuparemos de tu coche –se volvió hacia la cocina y entonces volvió la cabeza y la miró–. Por cierto, has tenido dos llamadas esta mañana.

–¿Ah, sí? Una de tu madre, una mujer encantadora, por cierto. Hemos charlado un buen rato.

–¿Cómo dices? –Caitlin se apresuraba detrás de él–. ¿Quieres decir que has contestado una llamada de mi teléfono?

–Sí... Bueno, es que lo tenía al lado.

–No tienes derecho a contestar una llamada mía –Caitlin estaba furiosa–. Quienquiera que fuera podría haber dejado un mensaje en el buzón de voz.

–Me dejaron el mensaje... a mí –Ray parecía totalmente ajeno a su rabia; sacó unos cruasanes de una bolsa de plástico que había al lado de la panera–. Bien, sé que a los ingleses les gustan los huevos con beicon y...

–No quiero comer nada.

–Vamos, Caitlin, le prometí a tu madre que te echaría un ojo, y eso quiere decir que también debo asegurarme de que comas algo –dijo Ray con calma.

–¿Cómo te atreves a hablar con mi madre?

Ray sacudió la cabeza y la miró.

–Está preocupada por ti, sabes. Piensa que estás muy delgada –la miró de arriba abajo–. Y la verdad, estoy de acuerdo con ella.

Caitlin sintió un calor en la piel.

–Es mi teléfono privado, y no deberías haberlo contestado.

–¿Entonces, preparo unos huevos con beicon o quieres sólo los cruasanes?

–No quiero nada.

–Bueno, entonces te preparo los cruasanes. Tengo unos de chocolate; si quieres puedes untarles mantequilla. Sé que a los ingleses os gusta mucho.

El aroma de los bollos se mezcló con el del café que se estaba haciendo en la cocina.

Ray sacó un taburete de la barra de la cocina.

–Siéntate y relájate, por amor de Dios. Bueno, he contestado la llamada de tu teléfono. ¿Y qué? No es para tanto.

Caitlin se sentó.

–¿Quién más ha llamado? –le preguntó con nerviosismo.

–Una mujer que se llamaba... Heidi, creo; sí, eso es, Heidi, como la del cuento.

Caitlin se relajó ligeramente. Al menos no había sido David.

–Heidi está muy preocupada por ti. Parece una joven encantadora.

–Sí –Caitlin asintió–. Es mi mejor amiga.

Ray le puso delante un plato de cruasanes y una taza de café expreso.

–¿Y qué te han dicho? –le preguntó al rato.

–Ambas quieren lo mismo: que las llames.

Caitlin asintió. Podría haber sido peor; al menos su madre no conocía las circunstancias de su ruptura con David. Si le hubiera empezado a dar los detalles, habría sido muy doloroso. Y Heidi era demasiado discreta como para decir nada.

–De acuerdo... bueno, gracias –murmuró de mala gana mientras daba un sorbo de café–. Pero no vuelvas a contestar ninguna llamada en mi teléfono.

Ray sacó el taburete de enfrente.

–Ni que fueras del servicio secreto.

–Me gusta que se respete mi intimidad, eso es todo.

Ray asintió.

–Ah, y tu madre quiere venir a verte –añadió con naturalidad.

Caitlin estuvo a punto de dejar caer la taza del susto.

–Estás de broma, ¿no? –le preguntó en tono esperanzado.

Ray negó con la cabeza.

–Me temo que tuve que hablarle del penoso estado de tu casa. Se quedó bastante preocupada.

–¿Pero qué es lo que has hecho? –Caitlin dejó la taza sobre el platillo con nerviosismo–. ¿Estás de broma?

–No. Es tu madre, Caitlin, y me preguntó sin rodeos cuál era tu situación, así que por respeto tuve que contestarle.

La furia ensombreció la mirada de Caitlin.

–Lo hiciste a propósito, ¿verdad?

–No sé a lo que te refieres –Ray se encogió de hombros, pero había en sus ojos oscuros un brillo burlón que le decía que sabía exactamente lo que había hecho.

–Sí que lo sabes. Le dijiste a mi madre lo mal que estaba la casa con la esperanza de que me convenza para vendértela. Te has pasado, Ray.

–Bobadas –Ray negó con la cabeza–. Pero, sí, tengo que reconocer que espero que seas sensata en lo referente a la casa de Murdo.

–¿Hasta qué punto quieres ese terreno? –le preguntó ella de pronto.

–No tanto como para aumentar mi oferta, si eso es a lo que te refieres –le dijo sucintamente.

Caitlin retiró a un lado los cruasanes y se puso de pie.

–Vamos. Cuanto antes me lleves de vuelta a la casa, antes decidiré lo que voy a hacer.

Ray dio un sorbo de su café, pero no se dio ninguna prisa en levantarse.

–No has terminado de desayunar. Tu madre se disgustaría.

–Bueno, mi madre aún no está aquí, que yo sepa.

–Todavía no –Ray sonrió.

El trayecto de vuelta a su casa fue muy distinto al de la noche anterior. Bajaron con las ventanillas abiertas para disfrutar de la brisa balsámica impregnada del olor de los eucaliptos que flanqueaban la carretera de asfalto.

Cuando se pararon delante de su casa, Caitlin notó que no tenía un aspecto triste y derruido como la noche anterior, sino alegre y con cierto encanto. Las tejas del tejado brillaban al sol y la pintura amarilla de las paredes desconchadas que se entreveía entre la hiedra y la glicina le daba a la vivienda un aspecto casi pintoresco.

–Necesita mucho trabajo y mucho dinero, ¿verdad? –le dijo Ray cuando salía del coche.

–La verdad es que no está tan mal como la vi anoche –se puso la mano delante de los ojos a modo de pantalla para poder mirarla mejor–. En realidad, diría que me gusta más de lo que pensaba anoche.

Ray negó con la cabeza.

–Lo que hagas es cosa tuya, por supuesto, pero déjame decirte que sé que necesita un tejado nuevo, y que lo más seguro es que esté infestada por la carcoma.

–Cómo se nota que no quieres que me quede –dijo ella con una sonrisa.

–Yo no he dicho eso –él le devolvió la sonrisa–. Al contrario, sólo intentaba ser útil.

Su manera de mirarla alborotó sus sentidos. Rápidamente apartó la mirada de él.

–Claro que sí.

Fue hacia su coche. El barro que cubría las ruedas se había convertido en tierra rojiza y seca.

–¿Se te ocurre cómo podría sacar el coche de este surco? –le preguntó con naturalidad.

Él no contestó inmediatamente, pero cuando se volvió a mirarlo vio que estaba sacando una pala muy grande del maletero del coche.

–Qué organizado eres.

–Mi lema es estar preparado para cualquier eventualidad –contestó él mientras la miraba a los ojos con serenidad–. Tendrás que recordarlo si te vas a quedar por aquí.

Después de arremangarse la camisa empezó a cavar alrededor de cada una de las ruedas del coche. Caitlin se quedó mirándolo, aprovechando su distracción, y pensó en la facilidad con que Ray cavaba, como si fuera la tarea más sencilla del mundo. Poseía una sensualidad que a Caitlin le resultaba difícil de ignorar; en realidad era algo que la tenía fascinada. Claro que siempre había sido así. Desde que le había abierto la puerta de la casa de Murdo aquel primer día había sido muy consciente de su atractivo físico.

–¿Quieres arrancar el coche a ver si puedes salir?

–Sí, claro.

Molesta consigo misma por dejarse llevar por sus pensamientos, Caitlin se metió en el coche y lo sacó con facilidad. Ciertamente Ray era un hombre muy apuesto, pero a ella no le interesaba.

–Muchas gracias –le dijo cuando salió de su vehículo–. Has sido muy amable, y estoy en deuda contigo –añadió impulsivamente.

–Es cierto –le sonrió con provocación–. ¿Qué haces el lunes por la noche? –le preguntó de pronto.

A Caitlin le dio un vuelco el corazón.

–Pasado mañana –añadió Ray mientras se apoyaba en su coche y la miraba con esos ojos negros de mirada intensa.

–Bueno, si me estás pidiendo que salga contigo, Ray... Todavía no estoy lista para empezar a salir otra vez con alguien.

El corazón le latía muy deprisa, y se sentía como una adolescente a quien nunca le hubieran pedido una cita.

–Relájate –le dijo él con serenidad–. No te estoy pidiendo que salgas conmigo.

–¡Ah! –volvió a mirarlo mientras sentía que se ponía colorada como un tomate–. ¿Entonces qué me estás diciendo?

Él sonrió.

–Voy a dar una cena de negocios para unos clientes en mi casa, y me vendría bien que alguien me echara una mano.

–¿Quieres que cocine para ti? –le preguntó, asombrada y molesta al mismo tiempo.

–No, no quiero que cocines para mí. Le he encargado la cena a una empresa de catering. Lo único que en realidad necesito es que hagas de anfitriona durante la velada, para que todo fluya con normalidad.

–Ah... –Caitlin se sentía algo confusa–. No sé qué decirte –le dijo con cautela–. ¿No es eso algo que debería hacer tu novia?

–No te preocupes, no vas a hacer el papel de otra

persona, te lo aseguro –le dijo con una sonrisa–. Además ahora no estoy con nadie –añadió con un brillo burlón–. Así que me harías un gran favor si accedieras.

–Bueno... –Caitlin no sabía qué decir.

–Gracias, Caitlin –continuó con decisión–. Mira una cosa, volveré esta tarde a ver cómo vas y podemos hablar de la velada.

Antes de darle oportunidad para que dijera nada, Ray se había dado la vuelta e iba hacia su coche. Entonces vio que abría el maletero y guardaba la pala antes de marcharse, agitando la mano al salir.

Caitlin se quedó algo anonadada de la velocidad a la que parecía ir todo.

–¡Caramba! –murmuró para sí mientras abría la puerta de la casa con la llave antigua.

Si por fuera la casa había ganado en encanto bajo los cálidos rayos del sol mediterráneo, no podía decirse lo mismo del interior, que continuaba tan tenebroso y triste como el día anterior. La tarima del suelo estaba rota, y parecía como si hubiera algunos escalones podridos. Tal vez Ray tuviera razón con lo de la carcoma, pensaba mientras cruzaba el vestíbulo. Se acercó a una ventana y con mucho cuidado intentó abrir el cerrojo de las contraventanas.

Cuando por fin las abrió, la luz del sol entró a raudales e inundó la espaciosa pieza donde lo único que vio de momento fue las partículas de polvo flotando en el aire. Cuando se le acostumbró la vista, vio que estaba en una sala muy amplia donde había una chimenea de piedra enorme en un extremo. Rápidamente retiró las sábanas del mobiliario. El sofá azul era mullido y confortable. Una gran alfombra color crema cubría el centro de la pieza; pero estaba sucia y un poco vieja. Sin embargo, sintió una emoción vibrar en su interior. Aquel sitio tenía sin duda posibilidades.

Entonces fue a la cocina, que sin duda tenía un encanto añejo. Los muebles eran de madera oscura y algunas de las puertas de los armarios estaban flojas; pero también había una pila de cerámica muy grande y una cocina antigua de leña. A la izquierda de la cocina había un comedor. Pero en lugar de entrar ahí, Caitlin abrió el cerrojo de la puerta trasera y salió al exterior. Se encontró en un patio soleado con un camino embaldosado que conducía a un pequeño olivar donde también había unos almendros. Continuó por el camino, moteado por la luz del sol que se colaba entre las ramas. Cuando dio la vuelta a un recodo se encontró con un campo donde se veían las cepas de las vides. Alguien había atado un columpio de madera a un almendro, y Caitlin se sentó con cuidado y echó la cabeza para atrás para mirar la casa.

Vio que al tejado le faltaban tejas, y que en una de las chimeneas parecía como si hubiera crecido una planta. Sin duda había que gastarse un dineral en aquella casa; dinero que seguramente ella no tendría. Pero eso no pudo frenar la alegría que la asaltó en ese momento. La casa tenía posibilidades, y además le encantaba. Le encantaba el viejo tejado rojo y las contraventanas de las ventanas; los lirios azules que flanqueaban el camino y los almendros en flor. Aunque gastara hasta su último penique y toda su energía en arreglarla, quería quedarse con esa propiedad.

Ray volvió a última hora de la tarde. La puerta estaba abierta, de modo que se paró en el umbral y llamó a Caitlin. Como no obtuvo respuesta entró en la casa. El fuerte olor a lejía fue lo primero que percibió. En el salón no había ni un mueble; las ventanas estaban abiertas y el suelo había sido restregado hasta recuperar un amarillo oscuro como el de la miel.

–Caitlin –levantó un poco la voz, pero nadie le respondió.

Avanzó con cuidado hacia la cocina para no pisar el

sueño limpio, y fue allí donde la encontró. Llevaba unos pantalones cortos vaqueros y una camiseta azul de cuello vuelto sin mangas, y estaba arrodillada en el suelo, fregándolo con un cepillo de madera, cantando a voz en grito mientras refregaba las baldosas. Tardó un momento en darse cuenta de que estaba escuchando la música de un walkman porque estaba de espaldas a él y no le veía los cascos. Cuando ella se volvió un poco fue cuando vio el cable fino perdiéndose entre su melena negra y el pequeño aparato azul colocado en su cinturón.

Ella aún no lo había visto, y él sonrió mientras observaba cómo trabajaba. Su energía lo fascinaba, al igual que el movimiento de su bien formado trasero embutido en aquellos pantalones cortos ceñidos.

Continuó cantando mientras se sentaba sobre los talones para admirar su trabajo, y aprovechó el momento para estirarse un poco. Ray disfrutó brevemente de un vistazo de su estómago y de la turgencia de sus senos generosos bajo la camiseta. De pronto, sin saber de dónde salía, Ray sintió que el deseo sexual lo golpeaba con fuerza.

–Caitlin.

Impaciente consigo mismo, avanzó hacia un lado para que ella lo viera.

–¡Ay, Dios mío, qué susto me has dado! –exclamó mientras se arrancaba los cascos de las orejas–. ¿Cuánto tiempo llevas aquí? –le preguntó después de apagar el aparato de música.

–Sólo unos minutos. Te llamé varias veces, pero estabas demasiado ocupada cantando –señaló divertido, y ella se sonrojó.

A Ray le gustaba que se sonrojara y poder tomarle el pelo para que se ruborizara todavía más.

–Con una voz así, podrías presentarte a Eurovisión –añadió en tono suave–. ¡Increíble!

–Muy gracioso.

Él sonrió al ver que se ruborizaba un poco más. Se preguntó si le pasaría lo mismo si la besara, o el aspecto que tendría con el cabello extendido sobre las almohadas blancas, con la piel sonrosada después de hacer el amor.

–Veo que has estado en el pueblo –dijo, volviéndose a mirar la bolsa de alimentos que había en la encimera.

–No, no me he aventurado hasta el pueblo. Sólo he ido a la pequeña tienda que hay unos kilómetros más abajo –se puso de pie y levantó el cubo de agua para tirarla–. Me gustó ver que tienen prácticamente de todo.

–Ah, la tienda de Madeleine –Ray asintió–. Sí, es muy conveniente.

–Es muy amable y habla muy bien inglés. Me ha estado contando que su sobrino es constructor. Me lo va a enviar mañana para que me haga un presupuesto de lo que quiero arreglar.

Ray arqueó una ceja.

–¿Con eso que acabas de decir, y con todo lo que veo que estás haciendo, debo deducir que te vas a quedar?

–Sí –contestó Caitlin dándole la espalda mientras se lavaba las manos en la pila; al ver que él no respondía, ella se dio la vuelta–. Mira, sé que piensas que estoy loca, sé que quieres este terreno... pero he decidido intentarlo, poner toda la carne en el asador –le dijo con sinceridad–. Así que, lo siento, pero tendré que rechazar tu generosa oferta.

Él frunció el ceño.

–Creo que estás cometiendo un gran error.

Sus palabras la irritaron; estaba claro que él sólo deseaba librarse de ella.

–Sí, bueno, pero es un error mío, ¿no crees?

–Sin duda –Ray inclinó la cabeza–. Pero por lo menos espera a que los constructores te den presupuesto antes de cerrarte en banda a mi oferta.

Caitlin negó con la cabeza.

–Quiero la casa. Lo siento, Ray, he tomado una decisión...

–Y yo te aconsejo que pidas más de un presupuesto –la interrumpió–. El sobrino de Madeleine, Patrick, es un trabajador entusiasta, pero no tiene mucha experiencia.

–Sí, ya sé cómo va la cosa. Pido unos cuantos presupuestos y luego elijo el que me parece mejor.

Él asintió.

–Y recuerda que el mejor no es siempre el más barato.

Ella lo miró.

–Crees que soy una dama desconsolada, ¿verdad?

–No –él se sonrió, y ella pareció molestarse–. Sólo te estoy dando un consejo.

–No es cierto. Seguramente estarás pensando que no voy a durar mucho, que lo mejor es darme un par de meses y luego ofrecerme menos dinero que al principio, porque para entonces creerás que estaré tan mal de dinero que aceptaré cualquier cosa.

–Tal vez lo esté pensando –le dijo él echándose a reír–. No sabes dónde te estás metiendo con esta casa, Caitlin.

–Bueno, sea lo que sea en lo que me esté metiendo, voy a esforzarme al máximo –dijo ella con firmeza–. ¿Y ahora que hemos aclarado eso, podemos tomar un café y hablar del lunes por la noche? –dijo Caitlin.

Ray se encogió de hombros.

–De acuerdo. Dejemos de momento el tema de la venta. Ya volveremos a hablarlo cuando te hayan dado varios presupuestos.

Caitlin ignoró esa última afirmación. No quería volver a hablar de ese tema con Ray. Estaba desesperada por quedarse allí y que aquello le saliera bien.

–¿A qué hora quieres que suba el lunes? –le preguntó mientras llenaba un cazo de agua y lo ponía en la cocina.

–Sobre las seis y media, pero no te preocupes, vendré a buscarte. ¿Dónde te vas a hospedar? Hay un hotel en el pueblo que es muy bueno...

–¿Hotel? –Caitlin frunció el ceño y lo miró–. ¿Por qué iba a quedarme en un hotel? Me quedo aquí, en mi casa.

–No estarás pensando en dormir aquí esta noche, ¿verdad? –le dijo él con perplejidad.

–Pues claro que sí. Éste va a ser mi hogar de ahora en adelante –lo miró–. ¿Te vale la leche en polvo? Como aún no tengo nevera, no me he molestado en comprarla fresca.

–Me gusta el café solo. Pero, Caitlin, no puedes quedarte aquí –sus ojos negros la miraron con determinación.

–¿Por qué no?

–Bueno, para empezar, no hay electricidad.

–Ese problema ya lo he arreglado –metió la mano en la bolsa y sacó una vela–. Me han dicho que no podrán dármela hasta dentro de un par de semanas. Así que si no quiero ir por la casa a oscuras, me tendré que arreglar con esto.

Él negó con la cabeza.

–No entiendo cómo puedes pensar en dormir aquí hasta que tengas unas escaleras nuevas y el tejado arreglado.

–Voy a dormir abajo, en el salón –sacó unas tazas de una caja–. Hasta dentro de unas semanas esto no va a empezar a parecer una vivienda en condiciones.

–Desde luego –dijo Ray en tono burlón–. Mira, será mejor que te quedes conmigo arriba, al menos hasta que te den la electricidad.

–Es una oferta muy amable, Ray, pero de verdad que voy a estar bien.

–No lo creo –estiró la mano y le pasó los nudillos por la mejilla–. Ven a quedarte conmigo, Caitlin, al menos durante unos días. No quiero pensar en ti aquí sola.

La suavidad de su tono, el roce liviano de su mano y la idea de pasar más tiempo con él le provocaron una mezcla de pánico y de placer.

El agua empezó a hervir; un poco lo que le pasaba a ella cuando estaba con él, pensaba con pesar mientras se apartaba de él.

–Es muy amable por tu parte, Ray; pero este lugar no está tan mal como tú crees.

Él no respondió. Rápidamente le dio la espalda y empezó a preparar el café.

–En realidad, cuando estaba sacando los muebles del salón he descubierto algo estupendo. El sofá azul se hace cama. Así que dormiré bien ahí.

Cuando ella le pasó el café, él la miró con incredulidad.

–Este sitio es inhabitable de momento –dijo sin rodeos.

–No es cierto. Tengo esta cocina antigua estupenda –puso la mano en el tubo que subía de la cocina–. Detrás de la casa encontré un montón de leña que me va a durar mucho tiempo.

Él no parecía convencido, así que Caitlin dejó su café sobre la encimera.

–Abajo se está bien, Ray, e incluso hay un váter. Vamos, te enseñaré lo que he hecho esta mañana.

Ray la siguió por una puerta en el otro extremo de la cocina que daba a un comedor. Era un espacio muy bien situado, con ventanas orientadas al sur que daban al olivar y a las montañas violáceas. Como en las demás habitaciones, estaba claro que había fregado el suelo a mano. Sobre la mesa de pino había un mantel blanco y una jarra blanca llena de lirios. El sofá cama bajo la ventana ya estaba hecho con sábanas blancas, una colcha de lana de colores y varios cojines. Tenía que reconocer que unos pocos toques femeninos de Caitlin le habían dado a la casa un aspecto confortable y femenino. Ray se quedó impresionado de lo mucho que había hecho en tan corto espacio de tiempo, y sintió que tal vez la hubiera infravalorado; esa mujer sin duda engañaba.

–Verás, de momento me conformo con esto –dijo a la defensiva mientras lo sorprendía mirando las grietas del techo.

Ray se sentó en el brazo del sofá.

–Estoy de acuerdo con que ahora la casa tiene mucho mejor aspecto gracias a ti. Eres una mujer muy voluntariosa, Caitlin.

Caitlin se quedó pensativa. A veces Ray la mirada de un modo que le hacía sentir un ligero mareo. Y le gustaba cómo pronunciaba su nombre, con esa suavidad que...

Intentó apartar de su mente todos esos pensamientos con firmeza. Su nombre sonaba bien cuando lo decía él por su acento francés. Y seguramente ése era el modo que tenía de mirar a todas las mujeres.

–Así que todo lo que voy a decir es que si tienes problemas puedes llamarme por teléfono –dejó su café sobre la repisa de una ventana y sacó un bolígrafo de oro del bolsillo de su camisa–. ¿Tienes un pedazo de papel? Te apunto el número del móvil.

–No me hará falta llamarte, Ray –le dijo ella con determinación–, porque no voy a tener ningún problema. Lo tengo todo controlado.

–Estoy seguro de que así es –Ray sonrió–. Pero nunca se sabe, tal vez quieras llamarme de todos modos –le tomó la mano y tiró de ella–. No hace falta papel, te lo apunto aquí.

Le volvió la muñeca y procedió a apuntarle su número en el brazo.

El roce de su mano y la firmeza del bolígrafo sobre su piel resultaban inquietantes.

–Ya está, luego puedes copiarlo donde no se te pierda –le sonrió mirándola a los ojos, y eso le resultó aún más desconcertante.

–Gracias –el corazón le latía de un modo extraño; retiró la mano apresuradamente y retrocedió un paso–. Pero como ya te he dicho, lo tengo todo controlado, así que de mi parte no recibirás ninguna llamada de ninguna dama en apuros.

–Bueno, a lo mejor cambias de opinión y quieres que te rescate cuando la vieja tarima empiece a crujir y las ranas empiecen con su coro nocturno, o cuando estés cansada de tanto trabajar en la casa o de esperar a los albañiles –se guardó el bolígrafo y se puso de pie.

–Ni lo sueñes –le contestó ella en tono seco–. A mí no me asustan unas cuantas ranas –dijo mientras pensaba que lo que quería era borrarse enseguida el número del brazo–. Me las arreglaré aquí –añadió rápidamente–. Además, no me importa estar sola. Para finales de año espero poder haber convertido este lugar en un hostal. Arriba hay unos cinco dormitorios muy amplios en los que puedo meter cuartos de baño.

–Es un proyecto ambicioso.

–Tal vez, pero cuando me decido a hacer algo suelo llegar hasta el final –alzó ligeramente la barbilla.

–Eso es algo que tenemos en común –Ray sonrió y se puso de pie–. Bueno, tienes coraje, eso debo reconocerlo, Caitlin.

De nuevo pronunció su nombre con aquel énfasis tan sensual.

–Bueno, entonces te veré el lunes por la noche –le dijo ella, intentando centrarse.

–Sí, te recogeré a las seis y media –respondió él de camino a la puerta.

–No hay necesidad, iré con mi coche –le dijo con firmeza mientras lo acompañaba a la puerta.

De algún modo le parecía importante defender su independencia. Pensó que él iba a discutírselo, pero Ray no dijo nada al respecto.

–De acuerdo –se detuvo a la puerta y se volvió a mirarla–. Si necesitas algo, llámame, no se te olvide –le dijo mientras avanzaba hacia el coche.

Al poco de desaparecer el vehículo de Ray por la carretera el silencio y la oscuridad empezaron a cubrir el paisaje.

Caitlin miró el número que le había escrito en el brazo y fue a lavárselo. Pero antes de hacerlo lo anotó en su agenda, aunque no sabía por qué. No pensaba llamarlo, se dijo para sus adentros con firmeza. Nunca. Entonces devolvió las llamadas que había tenido esa mañana, habló con su madre y le dijo que todo estaba bien y que no se preocupara.

En cuanto Ray llegó a su casa, fue al teléfono y llamó a su socio en París.

–Tenemos más problemas con la finca número 27 de los que había pensado en un principio. Sí, la propiedad de Murdo. Una señorita muy testaruda se ha venido a vivir a la casa y parece que tiene la intención de quedarse con todo el terreno.

Tamborileó impacientemente con los dedos sobre la mesa de caoba mientras esperaba la respuesta.

–Sí, la verdad es que sí –dijo Ray sonriendo–. No, yo me ocuparé de ello. Supongo que será una cosa pasajera, estoy seguro de ello. Ah... y a ver si puedes hacerte con una copia del testamento y la declaración de últimas voluntades de Murdo McCray.

Capítulo 4

CAITLIN nunca había vivido sola. A los dieciocho había conseguido un empleo en un hospital céntrico de Londres, y se había mudado directamente de casa de sus padres a las habitaciones que tenía el hospital para alojar a las enfermeras. Había compartido habitación con otras dos chicas y había sido una época muy divertida de su vida. Cuando no habían estado estudiando para los exámenes, habían estado trabajando o de juerga. Jamás había habido un momento de aburrimiento... o de quietud.

Fue entonces cuando había conocido a Julian Darcy, un interno de primer curso, guapísimo y sexy a rabiar, y se había enamorado de él de pies a cabeza. Durante un año entero habían salido juntos, y Caitlin había pensado que era el hombre de su vida... Pero desgraciadamente Caitlin no había sido la única a la que el meloso doctor le susurraba palabritas dulces al oído.

Julian había sido la razón por la que se había mudado a Manchester. Allí había alquilado un piso con su mejor amiga, Heidi, que también era enfermera. Y poco a poco había recuperado la confianza en sí misma. Las dos habían disfrutado mucho viviendo juntas, y de nuevo rara había sido la ocasión en la que Caitlin se había sentido sola. Habían hecho muchos amigos y habían salido mucho hasta que las dos se habían enamorado; Heidi de Peter y Caitlin de David. Había sido en el periodo previo a la boda de Heidi cuando David le había pedido que se fueran a vivir juntos. Ella no había estado segura de si era o no lo mejor para ella. Pero David se había mostrado muy persistente. La había agasajado con ramos de flores, con regalos extravagantes y no había dejado de decirle lo mucho que la amaba, lo mucho que la necesitaba... Lo mucho que deseaba estar siempre junto a ella.

Había sido eso de «para siempre» lo que la había terminado de convencer. Caitlin había sido testigo a los doce años del divorcio de sus padres y no quería pasar por algo semejante. El compromiso era algo importante para ella. Así que cuando se había ido a vivir con David había pensado sin lugar a dudas que era para siempre.

Pocos meses después se habían prometido en matrimonio con la intención de casarse a la primavera siguiente, pero de algún modo la fecha había quedado sin fijar dos años más.

Murdo a veces le había comentado que David no era su alma gemela, porque de haberlo sido no habría continuado posponiendo la fecha de boda.

En ese momento había ignorado la idea; pero en el presente se preguntaba si habría sido cierta. Tal vez inconscientemente ella había sabido desde un principio que David no era el hombre adecuado para ella.

Tumbada en el sofá cama, rodeada por la oscuridad y el silencio del campo francés, Caitlin pensó en el pasado e intentó darle sentido. Tal vez su destino fuera siempre enamorarse del hombre inadecuado. Lo malo era que había confiado en David. Desgraciadamente, cuando se había enterado de sus deudas de juego toda esa confianza que tenía en él se había evaporado de un día para otro. ¿Si le había mentido en eso, en qué más le mentiría? Y lo peor de todo era que David se había negado a reconocer que tenía un problema. De pronto su vida en común le había parecido una fachada, y Caitlin no había podido continuar con el compromiso matrimonial. Después de pensárselo muy bien durante varias semanas, Caitlin se había puesto en contacto con todo el mundo para decirle que no habría boda. Y eso había sido lo más duro que había tenido que hacer en su vida.

En cuanto despuntó el alba Caitlin se levantó. El trabajo era el mejor modo de no pensar en los problemas. Y no era difícil mantenerse atareada allí. El domingo transcurrió en un torbellino de trabajo duro, y el lunes por la mañana llegó Patrick.

Era un hombre guapo de más o menos la edad de Caitlin, con el cabello oscuro y ondulado y la mirada seria. Se paseó por la casa con expresión preocupada, rascándose la cabeza sin decir nada, y a Caitlin le dio la impresión de que estaba esperando el diagnóstico de un médico.

–¿Entonces, qué le parece, Patrick? –le preguntó finalmente cuando no pudo ya soportar el suspense ni un momento más.

–Creo –empezó a decir en un inglés algo macarrónico–, que la casa necesita mucho trabajo. Primero hay que cambiar la instalación eléctrica... después poner una tela aislante bajo el tejado... escaleras nuevas... tejas nuevas...

–¿Y de cuánto dinero estamos hablando? No se le olvide que quiero poner baños nuevos.

Patrick se rascó la cabeza.

–El tejado es trabajo de mi hermano Raúl. Pero yo puedo hacer todo lo demás. Seguramente me llevará un par de meses. Si quiere puede pagarme semanalmente y comprar los materiales aparte.

–Eso me parece aceptable... ¿Y cuánto cree que costaría?

Patrick le dijo una suma que entraba más o menos dentro de su presupuesto, y ella sintió un gran alivio repentino. Sin embargo le duró poco, porque fue entonces cuando Patrick lanzó la bomba.

–Desgraciadamente, no sólo hay que hacer este trabajo –le dijo despacio–. Sabe, no está conectada al suministro general de esta zona, y eso es algo que debe hacer.

–Pero tengo agua –dijo Caitlin con el ceño fruncido.

–Ésa le viene de un pozo cercano. Y no sabe cuánto le va a durar. Tal vez un mes... tal vez seis meses... tal vez seis años... –Patrick se encogió de hombros–. Es... ¿Cómo se dice? Poco fiable. Necesita conectarse a la general.

–¿Y eso cuánto costará?

–Es un trabajo complicado, y yo no lo sé hacer –dijo Patrick con firmeza–. Aquí hay mucho terreno y hacen falta tuberías nuevas. Mi primo tuvo un problema similar el año pasado.

–¿Y cuánto tuvo que pagar para arreglarlo?

Patrick se encogió de hombros y nombró una cifra que, encima del resto del trabajo que había que hacer, disparaba excesivamente su presupuesto.

Al caer la tarde, mientras Caitlin se preparaba para la cena con Ray, seguía atribulada por lo que Patrick le había dicho. Si se quedaba sin agua sería lo peor; pero si arreglaba primero lo del agua no podría costear el trabajo que hacía falta en la casa. Era un círculo vicioso y le resultaba de lo más deprimente. Sin embargo, mientras calentaba agua en una cazuela para lavarse el pelo y darse una ducha, intentó convencerse de que todo iría bien.

Con la intención de olvidarse de sus problemas de dinero, Caitlin se puso su traje negro y se miró al pequeño espejo de la coqueta. La última vez que se lo había puesto había sido para un cóctel de la oficina de David. Entonces le había quedado bien ceñido, aunque en ese momento le quedara bastante suelto. Sin embargo, a la suave luz de las velas, le pareció que estaba presentable. El agua fría le había dejado el pelo muy brillante y tenía la piel dorada después de llevar un par de días al sol. ¿Pero pasaría el escrutinio cuando llegara a casa de Ray? A Caitlin se le encogió levemente el estómago. Entonces, molesta consigo misma, se retiró del espejo y tomó su bolso. Su aspecto daba igual. Su intención no era impresionar a Ray, y aquello no era una cita.

Se asomó con cautela por las ventanas del salón. A Caitlin le encantaba la soledad de la que gozaba allí durante el día, pero de noche debía reconocer que se sentía algo inquieta. En ese momento se oyó la puerta de un vehículo que se cerraba y seguidamente ruido de pasos. Entonces Caitlin vio la silueta oscura de un hombre. Hasta que no llegó al jardín no se dio cuenta de que era Ray. Llevaba un traje oscuro y a la luz de la luna su cabello negro parecía azulado. Aliviada de que fuera alguien conocido, fue a abrir la puerta antes de darle la oportunidad de llamar.

–Hola –le dijo ella con naturalidad.

Toda vez que había descubierto que no era ningún asesino en serie el que llamaba a su puerta, su ritmo cardiaco debería haber aminorado, pero en lugar de eso le pareció que se le aceleraba alocadamente cuando él la miró a los ojos.

–Pensé que habíamos acordado que no vendrías a buscarme.

–Lo sé –Ray sonrió–. Pero de todos modos pasaba por aquí. Así que pensé que si estabas lista tal vez te gustaría subir conmigo.

–Gracias. Sí, la verdad es que estoy lista; no podrías haber llegado en mejor momento. Voy a apagar las velas, ahora mismo vuelvo.

Entró al vestíbulo y esperó a que ella fuera hacia el aparador, muy consciente de que él la seguía con la mirada.

–Estás preciosa esta noche, Caitlin –le dijo él en tono suave.

–Gracias.

El corazón le dio un vuelco, como si fuera a salírsele del pecho. Era una locura sentirse tan nerviosa, pensaba mientras se inclinaba a apagar las velas. Ray sólo intentaba mostrarse cortés; el hecho de que el elogio le sonara tan provocativo de labios de Ray se debía únicamente a aquel acento tan delicioso y sexy.

–¿Y cómo te van las cosas con la casa? –le preguntó mientras ella avanzaba en la oscuridad en dirección a él.

–Todo va muy bien –dijo en tono positivo; no pensaba reconocer que ya tenía problemas–. Patrick va a empezar a trabajar mañana.

–Pensé que ibas a pedir varios presupuestos antes de decidir a quién le dabas el trabajo.

–Sí, pero me gustó Patrick, y él puede empezar inmediatamente, lo cual es estupendo. Después de todo, esto lo voy a hacer por dinero, así que cuanto antes empiece antes recuperaré lo que voy a gastar.

–Me parece sensato.

–Sí, eso me pareció a mí –el instinto le decía que Patrick era un hombre cabal–. ¿Cómo van los preparativos de la cena? –le preguntó ella, cambiando de tema antes de que Ray hiciera más preguntas.

–Lo tengo todo bajo control –respondió él.

A Caitlin le daba la impresión de que Ray lo tenía todo controlado en su vida. Daba esa impresión. Cuando salieron Ray la agarró del brazo, y Caitlin percibió el aroma de su loción para después del afeitado; un aroma fresco, cálido y muy atractivo. El roce de sus dedos en la piel le resultó sorprendentemente turbador. Él abrió la puerta del copiloto y la ayudó a sentarse antes de ir hacia el lado del conductor.

–Supongo que han llegado los del catering –le preguntó, tratando de concentrarse en la velada que tenían por delante.

Ray arrancó.

–Sí, cuando salí de casa olía maravillosamente a cordero asado a las finas hierbas.

–Menos mal –le dijo Caitlin quitándole importancia–. Anoche soñé una cosa muy extraña, que quemaba toda la cena y que todos los invitados sacudían la cabeza diciendo que era lo que habían esperado de una cocinera inglesa.

Ray se echó a reír.

–No sé por qué has soñado eso. Te dije que había contratado los servicios de un catering.

–Lo sé –dijo Caitlin.

Lo que no le dijo a Ray era que en su sueño Murdo se había presentado a la mesa exigiendo saber por qué aún no habían fijado la fecha de boda.

–Últimamente he tenido unos sueños muy extraños –murmuró ella.

–Habría imaginado que tus pesadillas tratarían de esa casa tuya –le dijo Ray.

Caitlin frunció el ceño.

–La casa va a quedar bien, Ray. Tiene muchas posibilidades.

–Sí, y muchos inconvenientes –Ray la miró divertido–. ¿Te ha contado Patrick lo del problema del agua?

–¿Lo sabes? –ella lo miró asombrada.

–Pues claro que lo sé. No sé cuántas veces le dije a Murdo que lo arreglara.

–Bueno, pues lo que está claro es que lleva años así, y no veo la razón para ponerme a arreglarlo deprisa y corriendo ahora.

–Debes de estar de broma. Si quieres mi consejo, es lo primero que deberías hacer.

–Sí, bueno, ya tengo los consejos de Patrick, gracias, y eso es todo lo que necesito de momento.

–Él no podrá arreglarte el problema del agua, tendrás que contratar a otros constructores para que te hagan eso, y en mi opinión deberías calcular al menos el doble del presupuesto que Patrick te habrá dado por la casa.

–¿El doble? –dijo Caitlin mientras se le caía el alma a los pies–. Eso es una locura. Con todos mis respetos, Ray, no creo que sepas de qué estás hablando.

–Lo que sé es que esa casa es un sacacuartos –Ray se encogió de hombros.

–Tal vez, pero tengo mi presupuesto bien planeado –Caitlin alzó la barbilla con desafío.

La actitud sabelotodo de Ray empezaba sin duda a irritarla.

Ray la miró y sonrió.

–¿Y cuál es tu presupuesto para la casa?

–Creo que no es asunto tuyo –murmuró ella.

–Bueno, veamos... deja que adivine –Ray frunció la boca con aire pensativo, antes de nombrar la suma exacta que ella había discutido con Patrick.

Caitlin se volvió a mirarlo con sorpresa.

–¿Cómo diablos lo sabes?

Él sonrió.

–He estado en la tienda de Madeleine –dijo significativamente–. Patrick es su sobrino.

–Sí, lo sé, pero eso no le da derecho a hablar de mis cosas –dijo Caitlin, que estaba furiosa.

Ray detuvo el coche a la puerta del *château*. Entonces se volvió a mirarla.

–Sólo es una vecina preocupada, Caitlin. El hecho es que Murdo tuvo ese trabajo presupuestado hace años, y era el doble de lo que tú has discutido con Patrick.

–Bueno, tal vez mi actitud haya sido más ingeniosa que la de Murdo –Caitlin fue a abrir la puerta–. Y no voy a preocuparme por el agua, la verdad; después de la tormenta de la otra noche los niveles deben de estar muy altos.

–Estamos a principios de primavera, Caitlin –le dijo Ray en voz baja.

–Ray, si no te importa no quiero seguir discutiendo esto –le dijo Caitlin mientras salía del coche.

Ray negó con la cabeza. Tenía que reconocer que le gustaba la determinación de Caitlin. Era una verdadera pena que fuera a fracasar.

En casa de Ray había un ambiente elegante y discreto. El comedor estaba resplandeciente, la mesa puesta con la cubertería de plata y la cristalería de cristal de roca, y tres sirvientes en la cocina que esperaban para servir la cena.

Mientras Ray hablaba con el jefe de cocina, Caitlin intentó no pensar demasiado en la conversación que habían mantenido en el coche. Sabía cuál era el juego de Ray. Quería su tierra, y lo que tenía en mente era conseguir que terminara detestando aquel lugar.

–No creo que me necesites esta noche, Ray –le dijo cuando se marchó el jefe de cocina.

Ray no le contestó inmediatamente, y cuando ella se dio la vuelta lo vio apoyado contra el marco de la puerta, observándola con indolencia.

–¿No me digas que vas a estar de mal humor toda la velada sólo porque tenga razón con referencia a tu casa, *chérie*? –le preguntó en tono suave, casi provocativo.

–No tienes razón en cuanto a la casa –respondió en tono seco–. Y nunca me pongo de mal humor.

Él sonrió.

–Bien. ¿Te apetece tomarte una copa antes de la cena? –le dijo mientras iba hacia el aparador.

–Un poco de vino blanco estaría bien –respondió ella.

Sus manos se rozaron brevemente cuando le pasó la copa de vino.

–Gracias –dijo ella mientas se estrujaba el cerebro para decir algo que rompiera el silencio que de pronto parecía haberse establecido entre los dos.

Sintió que él la miraba con curiosidad, como si estuviera haciendo acopio de cada uno de los detalles de su vestido y su peinado.

–Y en respuesta a la pregunta de antes –empezó a decir Ray–, te agradezco mucho el que estés esta noche aquí –le dijo en tono suave.

Ella lo miró a los ojos, y por alguna razón su corazón se le aceleró instantáneamente. Estaba tan guapo con su traje oscuro y su camisa de un blanco inmaculado que contrastaba con su tez aceitunada y su cabello negro. Pero también tenía algo que le causaba aprensión, algo que no acertaba a explicar, pero que la inquietaba de un modo extraño. Tal vez fuera su mirada a veces anhelante, o la curva sensual de sus labios. O sencillamente su manera de leerle el pensamiento, de meterse en su alma.

–¿Entonces... quién viene esta noche? –le preguntó enérgicamente, intentando no pensar en lo otro.

–Mi socio Philippe y su esposa Sadie. Philippe dirige nuestra oficina de París, así que es una ocasión perfecta para intercambiar impresiones. También viene un cliente nuevo, Roger Delaware, con su pareja, Sharon, que espero que nos dé mucho trabajo en los meses siguientes.

–Parece una velada importante para ti.

–Sí, reconozco que me gustaría que Roger firmara un contrato con nosotros. Está pensando en construir un hotel nuevo en Cannes. Es la clase de urbanización que nos gusta en nuestra empresa. Así que espero que se decante por nosotros.

–Entonces la velada es más de negocios que de placer.

–Bueno, espero que puedan darse ambas cosas.

Su mirada intensa se suspendió un instante en la suya, antes de que ella la desviara para no ser engullida por su carismático atractivo. Si cautivar al sexo opuesto fuera un arte, Ray tenía talento a espuertas, pensaba Caitlin con recelo. Parecía algo natural en él. Se preguntó cuántas mujeres se habrían enamorado apasionadamente de él, cuántas habrían terminado con el corazón roto... Seguramente a cientos.

–¿Quién suele hacer de anfitriona en estas ocasiones? –le preguntó ella con curiosidad, intentando concentrarse en el líquido dorado de su vaso en lugar de en él.

–Durante los últimos meses una mujer llamada Claudette. Pero la cosa no fue bien entre nosotros –se encogió de hombros–. Así es la vida.

No parecía demasiado disgustado, lo cual llevó a

Caitlin a sospechar que él debía de haber terminado la relación.

–Se me ocurre que eres un rompecorazones –le dijo impulsivamente.

–¿De verdad? –parecía divertido–. ¿Por qué lo piensas?

Ella lo miró reflexivamente.

–No lo sé. Tienes algo...

–Bueno, me gusta la compañía femenina, ya que soy un hombre de sangre caliente, pero espero no romper ningún corazón. Desde luego no es mi intención; en realidad, escojo con mucho cuidado a las mujeres con las que me relaciono. Y siempre soy sincero sobre el hecho de que no quiero volver a casarme.

–Amabas mucho a tu esposa, ¿verdad? –dijo Caitlin.

Notó que se le ensombrecía la mirada con una emoción imposible de analizar.

–Me lo contó Murdo –murmuró apresuradamente–. Y siento haber hecho ese comentario; no era mi intención cotillear.

–No pasa nada. Y tienes razón. Amaba a mi esposa... mucho.

Caitlin apartó la mirada de él, sintiendo haberse metido en algo tan íntimo y personal.

–¿Y tú? ¿Le has roto el corazón a alguien, Caitlin? –le preguntó, cambiando rápidamente de tema.

–Espero que no.

–Pero debiste de ser tú la que cancelaste la boda; ningún hombre con dos dedos de frente lo habría hecho.

–Gracias por el voto de confianza –le dijo con pesar, algo sospechosa del elogio–. Sí que fui yo la que la canceló... Pero no lo hice porque quisiera hacerlo...

–Lo hiciste porque no tendrías otra elección, porque él te hizo daño –afirmó–. Sabes, la mejor manera de olvidarse de un hombre es liarse con otro –le puso la mano en la barbilla y le subió la cara para que lo mirara–. Divertirse un poco ayuda a aclarar las ideas y a curar el corazón.

El roce suave de sus dedos en su piel pareció quemarla como un hierro candente. Intentó no sonrojarse, pero notaba que se le calentaban las mejillas, como si alguien tuviera un fuego por debajo.

–¿Es eso lo que tú haces? –le preguntó Caitlin mientras retrocedía un poco, intentando romper la magia que de pronto parecía envolverlos–. ¿Meterte directamente en otra relación?

–Yo no tengo el corazón roto –dijo él.

–Entiendo –dio un sorbo de vino y recuperó la compostura–. Me temo, Ray que tengo que darte una mala noticia –dijo en tono ligeramente burlón mientras se obligaba a mirarlo a los ojos–. Yo creo que jamás serás un buen consejero. Das unos consejos malísimos.

Él la miró y esbozó una sonrisa que también le iluminó la mirada. Entonces se echó a reír con una risa cálida y generosa, que sin saber por qué consiguió que se le acelerara el pulso.

–Me gustas, Caitlin –dijo mientras sacudía la cabeza–. Debo decirte que me gustas mucho...

Sus miradas se encontraron, y por un momento sintió la tentación de decirle que él también le gustaba. Pero fue un pensamiento pasajero y uno que estaba empeñada en enterrar.

Para alivio suyo en ese momento sonó el timbre de la puerta.

–Ésos serán Philippe y Sadie –Ray se dio la vuelta–. Me dijeron que llegarían un poco más temprano.

El socio de Ray y su esposa eran los dos franceses. Philippe tendría unos cuarenta y cinco años, algo fondón, y con las sienes algo canosas. Tenía un aire sofisticado; sin duda era un hombre astuto, un hombre de negocios de éxito, pero a la vez muy relajado. Su esposa Sadie sería unos diez años más joven que él y de una belleza impresionante. Llevaba el pelo recogido sobre la cabeza, con un peinado que enfatizaba sus facciones delicadas y sus oscuros ojos almendrados. Su vestido color marfil provenía sin duda de alguna boutique de diseño parisina, pero aunque hubiera sido de una tienda de ropa de segunda mano le habría quedado bien, porque tenía una figura perfecta, voluptuosa y esbelta al mismo tiempo. Tenía ese estilo tan chic que parecía tan natural en las mujeres continentales.

–Estoy encantada de conocerte, Caitlin –dijo mientras le daba dos besos sin dárselos, para no estropear su maquillaje–. He oído hablar mucho de ti.

–¿De verdad? –Caitlin miró a Ray con sorpresa y éste sonrió.

–Sí, les he hablado a Philippe y a Sadie de la pesada de mi vecina que se niega a venderme su finca.

–¿Todavía sigues con lo de la tierra, *chéri*? –Sadie se puso de puntillas para besar a Ray.

Caitlin notó que sus labios rojos tocaban la mejilla de Ray y que no le soltó el brazo inmediatamente mientras se retiraba para mirarlo divertida.

–De verdad, debes de ser el dueño de la mayor parte de estas tierras –añadió Sadie.

Caitlin notó que Philippe le echaba una mirada de advertencia a su esposa, pero Sadie no parecía preocupada, ni tampoco Ray.

–Es cierto –contestó con un brillo en la mirada–. Pero eso no me impide desear más. Sin embargo, he descubierto que mi vecina tiene otras ventajas, así que me contento con dejar las cosas como están... de momento.

–¿A qué te refieres con «otras ventajas»? –le preguntó Caitlin distraídamente, sin saber si de verdad le gustaba el rumbo que había tomado esa conversación.

Ray le dirigió una sonrisa de medio lado.

–Me refiero al placer de tu compañía, por supuesto.

Caitlin negó con la cabeza. No iba a permitir que los elogios de Ray la afectaran. Estaba claro que cuando estaba de humor sabía las cosas que debía decirle a una mujer para que ésta se sintiera especial y conseguir él su propósito. Y por supuesto era un coqueto nato. Recordó cómo la había mirado hacía un rato, y eso que le había dicho de que la mejor manera de olvidarse de un hombre era liándose con otro... Sin duda le había estado tomando el pelo, y no significaba nada, necesariamente, pero si bajara la guardia se buscaría un buen problema.

Así que, al entrar al salón, se volvió hacia Sadie.

–¿Habéis venido desde París hasta aquí sólo para cenar?

Sadie sonrió.

–Tomamos el avión hasta Niza y después vinimos en coche. A menudo lo hacemos, y como hoy va a unirse a nosotros un cliente en potencia, es muy importante que aseguremos el contrato.

–Esperemos que su pareja, Sharon, esté hoy de mejor humor que la última vez que nos reunimos –suspiró Philippe–. Menos mal que estás aquí, Caitlin, porque si no tal vez nunca conseguiríamos ese contrato.

–¿Y por qué es eso? –preguntó Caitlin muy confundida.

–¿Es que Ray no te lo ha dicho? –Sadie se echó a reír–. Me temo que Sharon está chiflada por Ray. La última vez que estuvimos juntos pasamos mucha vergüenza. Y nos preocupaba que Roger no quisiera hacer con nosotros ningún tipo de negocio.

–Ya, entiendo –Caitlin sonrió a Ray–. Ya, ya, el placer de mi compañía, ¿no?

–Te dije, Caitlin, que tenías muchas ventajas –le dijo sin ningún pesar, y entonces esbozó esa sonrisa que la derretía por dentro.

En ese momento sonó el timbre de la puerta, y Ray se levantó.

–Es incorregible, ¿verdad? –dijo Sadie–. Y encantador... Todo el mundo se enamora de él. He perdido ya la cuenta de las mujeres bellas que he visto de su brazo. ¿Verdad, Philippe?

–Sólo que aún no ha encontrado a la persona adecuada –dijo Philippe, aparentemente algo enfadado–. No creo que debas darle a Caitlin una idea equivocada.

Caitlin quería decir que no le importaba y que ella no era una de sus muchas novias, pero no tuvo oportunidad porque en ese momento Ray entró en la habitación con el resto de sus invitados.

A medida que la velada iba avanzando, Caitlin se relajó. Los amigos de Ray eran todos muy agradables, y él sin duda un anfitrión encantador y atento. Lo observó disimuladamente durante la cena y notó cómo las mujeres estaban pendientes de cada palabra suya. También vio claramente lo que había querido decir Sadie cuando se había referido a la pareja de su cliente en potencia. Sharon, que estaba sin duda embobada con Ray, era una mujer rubia de unos treinta y tantos años, con una figura espléndida y unos llamativos ojos azules. A medida que el vino empezó a correr Sharon se volvió más coqueta, haciéndole ojitos a Ray y haciendo referencias bien claras a lo atractivo que le parecía.

Ray llevaba la situación con elegancia y facilidad, y Roger no parecía demasiado molesto por el comportamiento de su pareja, pero Caitlin estaba de acuerdo con Sadie: para el negocio la situación no era la mejor.

–¿Y a qué te dedicas, Caitlin? –le preguntó Roger Delaware de pronto cuando Sharon estiró la mano y la colocó sobre la de Ray para decirle lo maravillosa que había sido la cena.

Caitlin no pudo evitar sentir lástima por Roger. Parecía un tipo agradable, mucho mayor que Sharon, seguramente tendría alrededor de sesenta, pero muy atractivo.

–Tengo una pequeña propiedad no lejos de aquí y voy a convertirla en un hostal –contestó con normalidad.

–De verdad. Qué interesante. Así fue como yo gané el dinero, sabes, con un hotel en Estados Unidos. Empecé en Texas y poco a poco fui expandiendo el negocio por todos los estados. Ahora he puesto los ojos en el continente. Espero que Ray pueda diseñarme un bonito edificio.

–Estoy segura de que sí; según he oído Ray tiene mucho talento –dijo Caitlin con una sonrisa pesarosa.

A menudo había escuchado a Murdo cuando empezaba a poner por las nubes las habilidades de Ray como arquitecto.

–Sí, tiene una reputación sin parangón, eso lo sé –dijo Roger–. Pero también tiene un precio... –sacudió la cabeza.

–Roger, si empezaste en Texas sabrás muy bien que sólo la carne hebrosa es la barata; para comer carne de primera tienes que pagar un buen dinero.

Roger se echó a reír con ganas.

–Tienes razón, Caitlin, tienes razón.

–Bueno, no sé mucho de los tratos de negocios de Ray –reconoció Caitlin–, pero sí que sé que está muy en demanda. Cualquiera que sea conocido quiere a Ray Pascal. Supongo que es como comprarte un bolso de Prada o unos zapatos de Jimmy Choo... El que los tiene siente algo especial.

–¿Tú crees...? –Roger asintió–. Sí, supongo que tienes razón, y que sin duda tengo que mantener mi imagen. Mis hoteles son conocidos por su estilo.

Caitlin le sonrió y fue a servirle un poco más de vino.

–Háblame de tu hostal –le dijo Roger, inclinándose un poco hacia ella.

–Bueno, es pequeño y desde luego no voy a hacer una fortuna. Pero para mí está bien. Después de llevar años viviendo en dos ciudades distintas, me gusta mucho estar aquí y poder respirar el aire limpio del campo. Y renovar la casa va a ser un desafío.

–Un desafío por decir algo –comentó Ray mientras retiraba la mano de debajo de la de Sharon por segunda vez–. Creo que Caitlin debe de tener el coraje de un león para encargarse de esa casa.

–Me divierte hacerlo –Caitlin se encogió de hombros–. Pero tengo mucho que aprender. Hay un pequeño viñedo que me gustaría explotar, y un olivar con el que seguramente podría sacarme un dinerillo extra. El único problema es que mis conocimientos son muy limitados.

–¿Estás viviendo en la vieja casa de Murdo? –le preguntó de pronto Philippe.

Caitlin asintió.

–Bueno, la estructura no es buena, ¿verdad, Ray? –Philippe lo miró–. ¿No me comentaste en una ocasión que habías traído a unos peritos para que le echaran un vistazo cuando vivía Murdo?

–No lo recuerdo, Philippe –le dijo Ray con cierto tono de impaciencia.

Caitlin se preguntó si sería su imaginación, pero le pareció que a Philippe le molestaba la respuesta de Ray.

–Lo que sé es que si Caitlin no se conecta al suministro general de agua podría quedarse sin agua muy pronto –continuó Ray encogiéndose de hombros.

Caitlin se movió en el asiento. No quería hablar de eso.

–La casa está bien; sólo necesita un poco de tiempo y algo de cariño.

–¿Y desde hace cuánto tiempo que Ray y tú sois pareja? –interrumpió de repente Sharon, que entonces miró a Caitlin de un modo tan directo que resultó casi agresivo.

De pronto Caitlin fue consciente de que todos se volvía a mirarla. Quería decir categóricamente que Ray y ella no estaban saliendo, pero sabía muy bien que Ray esperaba que su presencia allí como pareja suya animara a Roger a hacer negocios con él. Así que no supo qué decir.

–Bueno, yo...

Ray fue al rescate.

–Caitlin y yo nos conocimos el año pasado a través de un amigo común. Pero el amor ha surgido en las últimas semanas, ¿no es así, *chérie*? –se inclinó hacia delante y le dio un apretón en la mano.

Ella lo miró a los ojos y entendió a la perfección que él le estaba diciendo de qué modo tendría que apoyarlo.

–Esto... sí. Ha sido un progreso inesperado... –dijo en tono vacilante, y él sonrió.

–Totalmente repentino –concedió él–. Pero eso es lo que pasa con el amor... Nunca sabes cuándo te va a atacar. Un día fui a casa de Caitlin y me la encontré limpiando y cantando a voz en grito, más preciosa que nunca, y pensé... es perfecta... la mujer más bella que he visto en mi vida...

Caitlin retiró la mano de la suya. Ray se estaba pasando.

–No exageres, querido –le advirtió resueltamente.

Él sonrió aún más; su vergüenza le resultaba enternecedora.

–Vayamos al salón a tomar café, ¿queréis? –sugirió Caitlin mientras se levantaba de la silla, deseosa de poner fin a aquel paripé.

–Buena idea –corroboró Ray con naturalidad–. Así tal vez podamos hablar un poco de negocios, Roger.

Caitlin se excusó y fue a la cocina. Los del catering se habían marchado hacía por lo menos una hora, y comprobó que la pieza estaba inmaculada. Se afanó colocando unas tazas y unos platos en una bandeja mientras esperaba que hirviera el agua.

Ray la siguió a la cocina minutos después.

–¿Entonces qué soy yo? ¿El pedazo de carne de primera, o el accesorio de diseño?

Ella se volvió a mirarlo.

–Lo siento –dijo, mirándolo con humor–. Me he pasado un poco, ¿no?

–Eh, no; no me estoy quejando. No sé lo que le has dicho, pero ha funcionado. Ya no está quejándose del precio, sino preguntándome cuándo podemos empezar.

–Creo que seguramente se debe a la deliciosa cena –dijo Caitlin, quitándose importancia.

–Y tal vez se deba a tu manera de sonreírle –añadió Ray en voz baja.

Ella lo miró.

–Gracias por ayudarme.

Su manera de decírselo, y el modo de mirarla, le provocó leves estremecimientos por todo el cuerpo.

–No hay de qué –se encogió de hombros, entonces se echó a reír–. Tú me sacaste de un hoyo y yo de otro. Estamos en paz, ¿de acuerdo?

–Si tú quieres –se acercó a ella.

–¿De verdad enviaste a un perito a casa de Murdo? –preguntó, intentando centrarse en la conversación y no en el modo en que él la miraba, con esa expresión fija.

–No, Philippe ha debido de confundir tu casa con alguna otra.

–Gracias a Dios por eso –le sonrió con pesar–. Al menos la casa no se me va a derrumbar antes de que la arregle.

–No, no se va a derrumbar –le sonrió mientras le retiraba un mechón de cabello de la cara–. A veces te escondes detrás del pelo, ¿lo sabías?

–¿Tú crees? –la voz le tembló un poco.

El roce de sus dedos la agitaba de un modo incomprensible. No sabía qué decir, algo para cambiar de tema.

–Sharon me ha parecido un tanto persistente, ¿no?

–Mucho, pero tú has hecho el papel de novia de maravilla. En realidad, veo que tus talentos son ilimitados –bajó la voz con provocación.

Entonces se acercó incluso un poco más. A Caitlin le llegó el aroma incitante de su loción para después del afeitado, y sintió el calor de su cuerpo muy cerca del suyo.

Notó que él tenía la vista fija en sus labios, y el corazón se le desbocó.

–Supongo que deberías volver con tus invitados... –dijo, intentando aparentar sensatez, pero tenía la voz ronca y algo temblorosa.

–¿Ray...?

Era la voz de Sharon que lo llamada desde el vestíbulo, pero ninguno de los dos se movió, como si estuvieran perdidos en su propio mundo.

–¿Ray, dónde estás?

La voz se iba acercando.

–Creo que tu posible amante te está buscando... –dijo Caitlin, intentando conseguir que su cerebro comenzar a funcionar.

–No tiene gracia, Caitlin –la regañó Ray.

Le acarició los pómulos con los pulgares, siguiendo el contorno de su rostro hasta la curva suave de su cuello. Las caricias le provocaban un cosquilleo delicioso por todo el cuerpo.

–Y, además, para eso tengo a otra persona en mente.

Antes de que ella pudiera decir nada, él se acercó a ella, y Caitlin sintió la suavidad de su aliento cálido sobre su piel y percibió las motas doradas en sus ojos oscuros.

–Ray... –susurró apresuradamente.

Pero él ya había posado sus labios cálidos sobre los suyos, y empezaba a saborearla muy despacio, a acariciarla con ternura y destreza al mismo tiempo... Con una delicadeza que rayaba en la posesividad. La sensación fue tan erótica que resultaba abrumadora.

Caitlin no pudo evitar responder a sus caricias. Le puso las manos en los hombros, amplios y fuertes. Sus labios trémulos y anhelantes buscaban los suyos. De algún modo todo lo que los rodeaba se desvaneció y sólo fue consciente de aquella necesidad, de aquel deseo desesperado que aumentaba por momentos. Cuando él se acercó un poco más, Caitlin gimió levemente, pegando también su cuerpo al de él.

Sentía el calor de su pecho calentandole el suyo, y la

sensación le proporcionó un cosquilleo delicioso. Quería estar más cerca... Sumergirse en él, sentir el placer de sus manos sobre su cuerpo desnudo.

–Siento interrumpir –la voz de Sharon desde la puerta cortó el beso.

–Lo siento, Sharon, no te hemos oído venir –dijo Ray en tono notablemente brusco.

Pero Caitlin estaba muy cortada. Le avergonzaba su modo de responderle, y al mismo tiempo le fastidiaba que Sharon hubiera interrumpido, porque quería mucho más...

–Te he llamado un par de veces por el pasillo –Sharon miraba a Caitlin a los ojos con expresión venenosa–. Pero está claro que tenías otra cosa en mente.

–Sí, es cierto –dijo Ray con evidente despreocupación–. ¿Podemos ayudarte en algo, Sharon?

–Claudette te llama por teléfono –le contestó Sharon significativamente.

–De acuerdo, ya voy –Ray le echó una mirada a Caitlin y sonrió al ver el color que teñía sus mejillas y el brillo de sus ojos esmeralda–. Te dejo para que termines de preparar el café, Caitlin.

–Buena idea.

Caitlin se volvió hacia él y fue a retirar el hervidor. Cuando fue a servir el agua en las tazas le temblaba un poco la mano. Estaba molesta consigo misma porque le afectara tanto un beso de Ray. Él la había besado porque coquetear y seducir no eran más que un juego para él, y el hecho de que Sharon hubiera aparecido y sido testigo de su abrazo, era una ventaja. Lo que tenía que hacer era olvidar lo que había pasado, quitarle importancia...

–Qué raro que Claudette llame precisamente esta noche, ¿verdad? –comentó Sharon mientras se apoyaba sobre la mesa de la cocina y se encendía un cigarrillo con naturalidad.

–¿Sí...? –Caitlin tragó saliva e intentó calmarse un poco–. ¿Qué tiene de raro? Sólo es una amiga de Ray.

–Un poco más que eso, Caitlin... Ella fue la pareja de Ray en la última fiesta que nos dio. Y desde luego eran pareja –soltó el humo y miró a Caitlin con los ojos entrecerrados–. Pero todos sabemos que a Ray no le duran mucho.

–Hasta ahora no –contestó Caitlin con tranquilidad, molesta por la hostilidad evidente en las palabras de la otra mujer.

–Bueno, querida, el tiempo lo dirá –dijo Sharon con evidente regocijo antes de darse la vuelta y salir de la cocina.

Pensó en cómo había reaccionado a su beso. Había sido increíble. No era capaz de entender por qué se había sentido así. Entre ellos había surgido una química que no sabía de dónde había salido... Le resultaba sorprendente. Pero lo que era aún más sorprendente era que ningún hombre la había excitado de ese modo en toda su vida. Jamás un beso había sido una experiencia tan explosiva, tan emocionante. El que hubiera perdido en control con Ray momentos antes era una experiencia totalmente nueva, y le daba mucho miedo.

Cuando volvió junto a los demás, Ray acababa de colgar el teléfono y entraba en el salón.

–Deja que te ayude –le dijo a Caitlin, y cuando le tomó la bandeja sus miradas se encontraron.

–Estábamos diciendo, Caitlin, que nos encantaría venir a ver tu casa otro día –estaba diciendo Roger Delaware en tono alegre–. Sharon y yo vamos a pasar un par de días en la zona, así que tal vez podríamos ir a hacerte una visita.

Caitlin tragó saliva.

–Bueno, sí... pero aún no. La casa no está en condiciones para recibir visitas, y mañana va a estar todavía peor porque van a venir los albañiles.

Ray observó a Caitlin que le estaba pasando el café a Roger e intentó no pensar demasiado en el modo en que ella le había respondido en la cocina... El ardor de su deseo tan sólo empezaba a ceder. Si se ponía a pensar demasiado en las ganas que tenía de llevársela a la cama en ese momento, seguramente acabaría echando a sus invitados de allí.

Le gustaba la confianza con la que Caitlin se valía por sí misma. Roger Delaware no se había molestado cuando Caitlin le había dicho que aún no estaba lista para recibir visitas.

Se echó a reír cuando Philippe le dijo algo, y notó que a sus ojos asomaba un brillo de humor antes de responder con algo ingenioso.

Ray sonrió. Sí, le gustaba estar cerca de Caitlin... Era una anfitriona estupenda, muy atractiva a la vista, y extraordinariamente sexy.

Y fue entonces cuando decidió que el negocio podría esperar hasta que consiguiera conocer más íntimamente a aquella fascinante mujer.

Capítulo 5

EL SOL entraba a raudales por las ventanas del salón, calentándole la cara a Caitlin que estaba tumbada en la cama, tratando de despertarse mientras pensaba en la fiesta de la noche anterior. Al término de la velada, Ray le había sugerido que se quedara a dormir. Pero Caitlin había tenido miedo y la había rechazado con resolución. Incluso había dicho de llamar a un taxi, pero él se había negado a hacer eso y había insistido en llevarla a casa. Al final y para no resultar grosera, Caitlin había aceptado.

En cuanto Ray había parado el coche delante de su casa, Caitlin había saltado del coche, había agitado la mano alegremente y se había encerrado en su casa.

Retiró las sábanas y se levantó. Estaba molesta consigo misma por permitir que un solo beso la asustara de aquel modo. Sin duda para él no habría significado nada; así que para ella debería ser lo mismo. ¿Entonces por qué se había quedado horas sin dormir la noche anterior?

La pregunta la atormentaba, y Caitlin intentó olvidarse de todo ello. No quería pensar demasiado también ese día. Tenía demasiadas cosas que hacer. Además, seguramente la intensidad del momento habría sido fruto de su imaginación. Sin duda Ray no había estado más que haciendo el bobo para ahuyentar a Sharon, y ella se había tomado un par de copas de vino. El incidente debía quedar olvidado.

Acababa de vestirse cuando llegó Patrick. Mientras tomaban un café, charlaron tranquilamente sobre el trabajo que debía acometer en primer lugar. Decidieron que debía ser la escalera, y cuando Patrick sacó las herramientas de su camioneta para empezar a derribar los antiguos peldaños, Caitlin cerró las puertas de la cocina y del comedor para que el salón no se llenara de polvo.

Salió al olivar para ver qué se podía hacer con toda aquella maleza. El sol se elevaba lentamente en el cielo, y llegado el mediodía era tan fuerte que aunque Caitlin estaba a la sombra en el olivar, tenía la garganta seca. Si hacía ese calor en primavera, no podía imaginar lo que haría en verano. Mucho más que en Manchester, seguro, pensaba con una sonrisa mientras daba un trago de la botella de agua que se había llevado y ascendía unos peldaños en la escalera de mano donde se había subido a podar unas ramas. Era un trabajo duro, y una hora después, cuando llegó Ray, seguía subida al árbol aunque apenas hubiera cortado unas cuantas ramas.

Ray la observó desde el pie de la escalera, admirando sus piernas largas y torneadas mientras ella terminaba de seccionar una rama.

–¿Necesitas ayuda? –se ofreció él.

–Ah, hola, Ray –se dio la vuelta y lo miró–. No esperaba verte hoy –dijo, intentando no ponerse nerviosa, pero lo cierto era que nada más verlo se le había encogido el estómago–. Te estás acostumbrando a pillarme por sorpresa.

–¿A que sí? –respondió él.

De pronto pensó en cómo la había besado, en sus labios ardientes, y decidió darse la vuelta para disimular.

–¿Y qué te trae por aquí?

En lugar de contestarle, Ray se quedó mirando lo que estaba haciendo.

–Estás haciéndolo mal –le dijo él.

–¿De verdad? ¿Qué estoy haciendo mal?

–Para empezar no estás utilizando la herramienta correcta –se volvió y rebuscó en la caja de herramientas que había al pie del árbol y que Caitlin se había encontrado en uno de las edificaciones anejas a la casa–. Deberías usar esto –le pasó un par de tijeras de podar enormes.

Entonces, para sorpresa de Caitlin, se subió a la escalera. Se detuvo en el peldaño inferior al de ella, pegado a su espalda.

–¿Ves estas ramas? –se inclinó hacia delante y su aliento le rozó la mejilla.

–Sí... –respondió ella, intentando concentrarse desesperadamente en las ramas, pero su proximidad se lo impedía.

–Hay que cortarlas, y siempre deberías hacerlo más o menos por aquí –señaló una rama, y entonces pegó un corte limpio, de modo que la rama cayó con suavidad al suelo.

En sus manos, la tarea parecía fácil. Pero Caitlin apenas si se daba cuenta de lo que estaba haciendo, puesto que todos sus sentidos estaban sintonizados a las sensaciones que su cuerpo le proporcionaba: el aroma de su colonia, la fuerza de sus brazos rodeando su cuerpo, todo un torbellino de sensaciones emocionantes.

–Creo que ya está –dijo antes de darse la vuelta y saltar al suelo.

–Gracias –Caitlin le dio la mano y sintió como si la recorriera una corriente eléctrica.

Cuando bajó, Caitlin sacudió levemente la cabeza. Sería tan fácil dejarse abrazar y besar de nuevo; pero ella no quería ser simplemente una de sus conquistas.

–¿Qué te parece el resto de mi trabajo? –le preguntó, mirando a su alrededor, fingiendo estar absorta en lo que había hecho.

Por un momento pensó que él no iba a contestarle, de la expresión de intensidad con que la miraba.

–Creo... –empezó a decir despacio–, que has estado trabajando mucho y que deberías tomarte un descanso y almorzar conmigo.

–No puedo, Ray; tengo mucho que hacer –se apartó de él, recogió las ramas y las colocó en un montón.

–No se tarda tanto en almorzar, y no se puede trabajar en las horas de mucho calor –se apoyó contra la escalera de mano y la observó.

–Sí que puedo –respondió ella mientras se soltaba la coleta y dejaba que la melena le cayera por los hombros.

A la luz del sol, Ray notó que había reflejos dorados en su melena oscura y brillante, y se preguntó cómo sería acariciarlo mientras ella alcanzaba el clímax.

–Ahora estás en Francia, y debes aprender a hacer las cosas a la manera francesa... –murmuró distraídamente.

–¿Y cuál es esa manera? –le preguntó ella mientras lo miraba.

–La de la gente civilizada, por supuesto –Ray sonrió–. Y como sabía que te negarías a almorzar, pensé en otro plan.

Sin decir más se dio la vuelta y desapareció por el lateral de la casa. Caitlin aprovechó para continuar apilando las ramas; había hecho bien en decirle que no almorzaría con él.

Para su sorpresa, Ray regresó a los pocos minutos con una nevera portátil y una manta en la mano.

–¿Ray, qué haces? –le preguntó mientras él extendía la manta bajo las copas de los olivos.

–¿A ti qué te parece? –él la miró con pesar–. Si no quieres ir a un restaurante, entonces yo te lo he traído. El chef de Chez Louis nos ha preparado un menú muy interesante. Espero que te guste.

Caitlin se acercó un poco más y se asomó a la nevera con curiosidad. De allí sacó una botella de vino blanco muy frío.

–¿Y qué más tienes ahí?

–Ensalada *niçoise*, que es la especialidad de esta región, seguido de queso de cabra y verduras a la parrilla. De postre, una selección de fruta.

–Qué rico; pero si como todo eso no voy a poder trabajar después.

Ray le tomó la mano y tiró de ella inesperadamente, sentándola en la manta junto a él.

–Sabes lo que necesitas, ¿verdad?

–¿No, el qué? –le dijo sin aliento mientras él le servía una copa de vino.

–Necesitas relajarte un poco –le puso la copa en la mano y por un momento se miraron por encima del borde de la copa.

–De acuerdo –alzó la copa–. Gracias por este almuerzo.

El vino estaba fresco y delicioso, y con el calor que hacía y todo lo que había trabajado le resultó muy agradable. Se sentó apoyada en el tronco del árbol y retiró las piernas para no rozarle las suyas.

–¿No deberías estar trabajando hoy? –le preguntó ella.

–Siempre me tomo una hora libre para almorzar.

Mientras desenvolvía el almuerzo, Caitlin se fijó en él. Los colores claros de la camiseta y el pantalón destacaban el tono aceitunado de su piel y su cabello negro azulado.

Entonces él levantó la vista y sonrió al sorprenderla mirándolo.

–¿Qué tal está el vino?

–Delicioso.

–Prueba un poco de esto con el vino –le dijo mientras le pasaba un pedazo de queso pinchado en un tenedor.

Tras vacilar un momento, Caitlin abrió la boca; su gesto le pareció tanto íntimo como sensual, y cerró los ojos para deleitarse con la explosión de sabores en su paladar.

–¿Qué te parece? –le preguntó él.

–Riquísimo...

–Un día te invitaré a cenar al bistrot de Louis; está en el pueblo.

Su invitación provocó en ella una respuesta ya nada sorprendente para Caitlin; se le encogió el estómago, pero nada tenía que ver con la comida.

–Bueno, gracias por la invitación, pero ahora estoy muy ocupada.

Su respuesta dio paso a un momento de silencio. Ella lo miró disimuladamente y vio que él estaba apoyado sobre un codo.

–A veces estás muy serio, sabes –le dijo en tono ligero–. La vida es para disfrutar de ella.

–Sé que estoy disfrutando –ella sonrió–. Estoy tumbada en mi olivar, degustando una comida preparada por un gourmet, y con una copa de vino en la mano. Me siento bastante decadente, la verdad, y más relajada de lo que me he sentido en mucho tiempo.

–Eso está bien.

–Qué pena que hay que volver al trabajo.

–Bueno, ahora eres tu propia jefa así que te puedes tomar el día libre.

–Pero si lo hago nunca terminaré el jardín.

–Si te sientes mejor, tengo mucho trabajo que hacer esta tarde.

–¿Trabajas desde casa?

Él asintió.

–Tengo un despacho arriba. Trabajo tres semanas aquí y una en París.

–Parece un arreglo muy bueno.

–Sí, a mí me encanta.

–Yo nunca he ido a París –echó la cabeza hacia atrás y miró el cielo azul a través de las ramas.

–Es una ciudad preciosa, sobre todo cuando florecen los castaños; las vistas desde el Sena son espectaculares –dijo Ray.

Caitlin dio un sorbo de vino.

–Bueno, tal vez vaya algún día.

–Vente conmigo la semana próxima, si quieres.

Tengo que ir a la oficina casi todos los días, pero tendré tiempo para enseñarte lo principal.

Si la invitación de ir a cenar había desencadenado un sinfín de emociones en su interior, la invitación de acompañarlo a París le provocó una agitación aún mayor.

Desvió la mirada y se fijó en el color dorado del vino al sol.

–¿Cuántas habitaciones tiene tu apartamento? –le preguntó, y entonces lo miró con incertidumbre.

–Dos. Pero no es obligatorio utilizar las dos –sonrió al ver que se ruborizaba.

Caitlin lo miró un momento y supo sin lugar a dudas que si aceptaba su oferta no dormirían en camas separadas, y no pensaba que estuviera lista para ello.

–Sí, tal vez un día acepte tu invitación. Pero, como he dicho antes, de momento estoy muy ocupada.

–Por supuesto –él le sonrió con provocación, confundiéndola.

–¿Por qué me miras así?

–Por nada –dijo Ray mientras sacaba la botella para servirle un poco más–. Sólo pienso que te da miedo relajarte cuando estás conmigo. ¿Qué pasa, Caitlin? ¿Tienes miedo de divertirte?

–No tengo miedo de nada –dijo ella con el corazón palpitante, mientras sentía cada vez más temor.

El hecho de mentir le producía esa tensión. No era que tuviera miedo, más bien estaba aterrorizada. Pasar de una relación desastrosa a otra no era lo que tenía en mente.

–David y yo íbamos a casarnos la semana que viene –soltó impulsivamente–. E íbamos a ir de luna de miel a Roma. Así que, ya ves, ir a París contigo, sobre todo la semana que viene... No me sentiría bien, eso es todo.

–París no es Roma –le dijo él encogiéndose de hombros–. ¿Crees que el matrimonio habría funcionado? –le preguntó tras una pausa.

La pregunta le hizo reflexionar un instante.

–No, supongo que no. Pero eso no impide que la ruptura sea dolorosa. Vivimos juntos durante tres años.

–Pero no era el hombre adecuado para ti, Caitlin; y cuando no estás con la persona adecuada hay que continuar.

Estiró la mano y le retiró el pelo de la cara para verla mejor. Fue un gesto tierno que la conmovió.

–¿Cuánto tiempo lleváis separados?

–Dos meses.

Había salido apresuradamente del apartamento el día en que se había enterado de la verdad y se había refugiado en casa de Heidi. Habían sido unas semanas muy duras, cancelando todos los preparativos de la boca, intentando separar sus finanzas de las de David y llorándole a Murdo. Caitlin tomó un sorbo de vino e intentó no pensar en ello.

–¿Qué día de la semana próxima ibais a casaros? –le preguntó él mientras empezaba a guardar los platos en una cesta.

–El sábado que viene.

–Bueno, pues si no quieres venirte toda la semana a París, ¿por qué no tomas un avión el fin de semana, digamos, el viernes? Te iré a buscar al aeropuerto Charles De Gaulle y podremos pasar el fin de semana juntos y volvernos el domingo por la tarde –se volvió y la miró–. Así no pensarás en lo que habrías estado haciendo el fin de semana.

Desde luego que sí. Sólo de pensar en pasar el fin de semana con él en París tuvo el efecto de una droga potente.

–No sé, Ray, es un poco pronto para pasar fuera un fin de semana. Pero gracias de todos modos por la invitación.

Él sonrió.

–¿Qué me dices entonces? ¿Que te lo pensarás, o es un no rotundo? –le preguntó.

Pero antes de que ella respondiera, le quitó la copa de vino de la mano y la puso en el suelo a su lado, y Caitlin se dio cuenta de que ya no podía concentrarse en lo que él le estaba diciendo. Estaba demasiado cerca.

–¿Dime? –le susurró al oído.

–Ray, déjalo ya... –dijo fingiendo enfado, y cuando él tiró de ella para que se tumbara en la manta apenas protestó.

Él le sonrió

–¿Bueno, dónde estábamos?

A Caitlin le latía el corazón con tanta fuerza que estuvo segura de que él se daría cuenta al inclinarse sobre ella.

–Ray...

Sus labios la silenciaron, y de pronto dejó de pensar con coherencia. El beso era tierno, y las manos que la agarraban de la cintura suaves mientras le levantaba la camiseta y la acariciaba. Podría haberse retirado, pero para desgracia suya se dio cuenta de que no tenía ganas de apartarse de él. Así que empezó a besarlo con deleite, empujada por el deseo salvaje que él provocaba en ella.

Quería que él le deslizara las manos más arriba, que la tocara por todas partes; pero él no dejó de acariciarle la cintura provocativamente hasta que la tuvo loca de deseo.

Sus besos eran apasionados y tiernos; era como si Ray le hubiera encendido una gran hoguera en su interior que ni siquiera sabía que existía.

Fue él quien se retiró y le sonrió pausadamente.

–¿Entonces me lo tomo como un sí?

Ella, que no había querido que él dejara de besarla, sintió de repente una mezcla de frustración y rabia. Frustración porque quería echarle los brazos al cuello y decirle, no, rogarle que continuara, y rabia de que él estuviera tan seguro de sí mismo.

–No ha sido más que un beso, Ray –murmuró en tono ronco–. No te emociones.

Él la miró de arriba abajo y sonrió.

–No he sido yo el único que se ha emocionado.

–Deja de tomarme el pelo, Ray... –le dijo mientras se apartaba y se colocaba bien la ropa.

–No te estoy tomando el pelo. Lo digo en serio. Y también digo en serio lo de venirte a pasar el fin de semana a París. En realidad, para demostrártelo me ofrezco a dormir en la habitación de invitados –extendió las manos y en su rostro se dibujó una expresión de chiquillo afligido–. Eso no lo haría por cualquiera.

Ella sintió que se derretía por dentro.

–Sí... bueno, lo pensaré –añadió rápidamente–. Ahora será mejor que entre a ver cómo va Patrick.

Era una alivio cambiar de tema y hablar de algo más mundano.

–Patrick se fue a comer cuando llegaba yo –le informó Ray–. Me dijo que te dijera que volvería a las cuatro y que tienes un problema con el suelo.

–¿Qué le pasa al suelo? Creí que estaba haciendo las escaleras –sacudió la cabeza.

–En estas casas tan viejas, Caitlin, un problema normalmente lleva a otro. Ya irás descubriéndolo.

–Gracias –le respondió en tono seco.

Él sonrió.

–Pero, conociéndote, sé que lo resolverás enseguida –entonces miró su reloj de pulsera, recogió la cesta y enrolló la manta–. Tengo que irme. Después hablamos.

–Sí... hasta luego.

Mientras lo veía marchar, Caitlin se preguntó si esa última hora habría sido fruto de su imaginación.

Capítulo 6

SI RAY es tan atractivo como dices, entonces creo que deberías ir –le dijo Heidi con decisión–. ¿Qué tienes que perder, Caitlin?

Caitlin pensó en lo que le hacía sentir Ray y sonrió.

–¿Aparte del control sobre mí misma?

Y de su corazón, le decía una voz en su interior. Pero Caitlin lo ignoró. No tenía la intención de entregarle el corazón a nadie en mucho tiempo.

–Me causa un efecto de lo más extraño, Heidi. Nunca he sentido nada igual en mi vida. Cuando me toca me derrito.

–Bueno, si un francés que está como un tren quisiera llevarme a pasar un fin de semana a París, yo desde luego iría.

–No irías porque estás felizmente casada.

Heidi se echó a reír.

–Uy, es verdad.

–Ya pero hace seis días que me dijo lo de la invitación y no he vuelto a saber nada de él desde entonces. De hecho, creo que está ahora en París. Me dijo que esta semana le tocaba trabajar allí, así que, que yo sepa, ha cambiado de opinión acerca del fin de semana.

–Bueno, tienes su número de móvil, ¿no? Llámalo y lo averiguarás.

Caitlin frunció el ceño. Estaba en contra de llamarlo, aunque no sabía por qué; tal vez fueran sus modales arrogantes y esa seguridad en sí mismo que le decía que podía conseguir a cualquier mujer que deseara. Así que ya se podía fastidiar, porque ella tenía demasiado orgullo para ir detrás de él. Además, no era su estilo.

–No, no creo que sea buena idea –murmuró–. Después de todo, este sábado debería haber estado en la iglesia casándome con David. Es demasiado pronto.

–Caitlin, no sabía si decirte esto o no –vaciló Heidi–. Pero después de lo que acabas de decirme... El sábado pasado Peter fue a china town a cenar, y David estaba en el restaurante.

–¿De verdad? –dijo Caitlin–. ¿Él solo?

Se produjo una leve pausa.

–No, estaba cenando con una rubia sensual. Y, según parece, ella estaba entusiasmada con él, Caitlin.

–Ah.

Una sensación de frío se alojó en su interior.

–No debería habertelo dicho, ¿verdad? –dijo Heidi con aprensión.

–No, me alegro de que me lo hayas dicho, porque como una tonta me he estado preocupando por él.

–¡Estás de broma! ¿Por qué?

Caitlin se encogió de hombros desconsoladamente. No podía explicar los complejos sentimientos que aún albergaba por David.

–Hay una parte de mí que se pregunta si debería haberme quedado a su lado para ayudarlo. Tiene un problema, Heidi...

–No me lo digas –dijo su amiga en tono brusco–. Aparte del juego, es un ladrón y un mentiroso. Recuérdamelo... ¿Cuánto te costó salir del lío en el que te metió?

–Sabes muy bien que una buena parte de mis ahorros.

–¿Y estás preocupada por él? –Heidi parecía enfadada–. Eres demasiado blanda. Deja que te diga, Caitlin, que el sábado por la noche él no parecía nada preocupado por ti. Ese tipo es un aprovechado.

–Tal vez tengas razón pero... supongo que no puede

evitarlo. El juego es un poco como el alcoholismo, ¿no te parece?

–No sé, pero creo que tú estás mejor lejos de él.

–Supongo. Soy un desastre a la hora de elegir a los hombres, ¿no crees? –dijo Caitlin con pesar.

–Ray parece agradable.

–Bueno, al menos es sincero –concedió Caitlin–. Tiene claro que no quiere ningún compromiso serio... Y con el tema de la casa ha sido muy sincero.

Se sentó en el alféizar de la ventana. Había un agujero donde antes estaba la escalera y otro mayor donde había estado parte del suelo.

–Bueno, aprovéchate y pásatelo muy bien en París.

Se oyó el ruido de un coche fuera y Caitlin miró por la ventana y se preguntó si sería Ray. Cuando vio una camioneta sintió cierta decepción.

–Tengo que dejarte, Heidi. Viene alguien. Y no, no es él.

–Qué pena –rió Heidi–. No te olvides de enviarme una postal.

–Tal vez no vaya –le advirtió Caitlin mientras echaba una mirada por la ventana y se fijaba en el logotipo de la camioneta–. Ay, creo que son los de la electricidad que han venido a darme la luz. Qué sorpresa, me habían dicho que tardarían otras tres semanas más.

–Lo ves, todo se va a arreglar –dijo Heidi–. La vida te sonríe.

Una hora después una luz dorada bañaba la casa y el frigorífico de Caitlin despertaba a la vida. Había regresado a la civilización. Heidi tenía razón, pensaba mientras llenaba la bandeja de los hielos para meterla en el congelador. El futuro era lo que importaba en ese momento y no quería pensar en el pasado. Pensó en darse un baño caliente y en tomarse una ginebra con tónica bien fresca. Estaba llenando el baño cuando volvió a sonar el móvil. Era un número desconocido, y Caitlin contestó medio esperando que se hubieran equivocado de número.

–Hola, Caitlin.

Reconoció la voz de Ray al momento, e inmediatamente sintió un enorme placer.

–¿Ah, hola, de dónde has sacado mi número?

–Lo copié cuando te dejaste el teléfono en el salón la primera noche. ¿Qué tal van las cosas en la casa? –continuó.

–Van bien –dijo, sin querer pensar en el lío del salón.

–¿Te han dado ya la electricidad? –le preguntó.

–Bueno, sí, la verdad es que me la han dado –sonrió–. Debes de ser adivino; acaban de estar aquí.

–Me alegro de que todo vaya bien, Caitlin –dijo en ese tono relajado que le hacía derretirse por dentro.

Se sentó en el borde de la bañera.

–¿Y tú qué tal? ¿Has firmado por fin el contrato con Roger Delaware?

–Sí. Estuvo en casa el otro día. Me pidió que te enviara recuerdos de su parte.

–Qué agradable –dijo intentando serenarse.

¿Volvería a hablarle de ir a París? ¿Y si lo hacía, qué le diría?

–Creo que le hubiera gustado verte –dijo Ray, echándose a reír de ese modo que provocaba el caos en su interior–. Yo mismo quería ir a verte, pero no he tenido ni un momento libre. Ha habido mucho trabajo.

–Y yo que pensaba que vosotros los franceses teníais una actitud tan relajada hacia el trabajo. ¿Qué ha sido de los largos almuerzos con vino?

–Desgraciadamente no ha habido nada de eso esta semana. Pero estos días estoy con la mentalidad de París... La gran ciudad siempre me empuja a actuar con más dinamismo.

–¿Estás ahí ahora? –le preguntó ella.

–Sí, te estoy llamando desde mi apartamento. Ha hecho un día precioso, con el cielo azul y sin una nube... Aunque no he salido mucho, que digamos. He estado en la oficina desde muy temprano.

–Qué pena.

–Sí, bueno, espero disfrutar al menos del fin de semana.

Caitlin sintió que se le aceleraba el pulso. Ahí estaba... iba a pedírselo otra vez.

–¿Tienes un bolígrafo a mano?

–¿Un bolígrafo? –dijo sorprendida.

–Sí, quiero que anotes un número.

–Ya tengo tu número de teléfono.

–Pero no lo has utilizado, ¿verdad? No, éste es otro número.

Caitlin se levantó y buscó rápidamente un bolígrafo.

–Ya está, dime –le dijo con la agenda en una mano y el bolígrafo en la otra.

Él le dio un número y ella lo anotó.

–¿Qué es esto? –le preguntó Caitlin.

–Es el número de referencia para tu vuelo del viernes. Mira, tienes que estar en el aeropuerto de Niza a las cinco y media, y debes recoger tu billete en el mostrador de Air France. Vas a necesitar tu pasaporte para confirmar tu identidad.

–¿Ya me has reservado un vuelo? –dijo, sin saber si sentirse enfadada o halagada–. ¡Pero aún no te he dicho si voy o no!

–Bueno, me impacienté esperando, de modo que te reservé billete de todos modos. Te recogeré en el aeropuerto. Ah, y tráete algo de ropa de abrigo; aunque hace buen tiempo no hace tan bueno como en el sur. Tengo que dejarte, Caitlin, me está entrando una llamada por la otra línea.

Caitlin abrió la boca para hablar, pero él ya había colgado. ¿Qué hacer? Era una presunción por su parte reservarle un billete así sin más. Lo lógico sería ignorarlo. Seguramente sería lo más sensato.

Ella suspiró y se miró al espejo del baño. La sensatez no la había llevado a ningún sitio hasta el momento. Tal vez fuera el momento de arriesgarse, de vivir peligrosamente y de tomar un vuelo a París. El corazón le latía de la emoción. Dio un trago de ginebra con tónica y aspiró hondo. Sí, se marcharía el viernes, y no se pararía a analizar si estaba bien o mal. Se merecía pasárselo bien de todos modos, después de esas últimas semanas. A Murdo sin duda le parecería bien, pensó con una sonrisa en los labios.

El vuelo de Niza a París fue muy corto. Cuando el avión aterrizó en el aeropuerto Charles De Gaulle a Caitlin se le encogió el estómago, no sabía si por las bolsas de aire o por estar allí en París con todo el fin de semana por delante para disfrutar junto a Ray.

Ray la vio inmediatamente y sonrió. Se había arriesgado reservándole asiento en aquel vuelo, y medio había esperado que no se presentara.

–Ah, aquí estás... Pensaba que me habías dado plantón por un momento.

–Y yo –sonrió–. Pensé que no aparecerías como castigo a mi impetuosidad.

–Se me pasó por la cabeza, no lo creas –reconoció ella.

–Bueno, me alegro de que estés aquí –dijo él sonriendo.

Ella lo miró a los ojos risueños y quiso decir que también sentía lo mismo. Pero las palabras no le salían.

–Gracias por el billete –le dijo en lugar de lo otro–. Y, claro está, te lo pagaré.

–Caitlin –la interrumpió con firmeza–. Cállate, ¿quieres?

Entonces se acercó a ella y de pronto la envolvió con su cuerpo cálido mientras la besaba suavemente en la mejilla.

–Bienvenida a París –le dijo en tono cálido mientras se retiraba un poco.

A Caitlin le latía tanto el corazón que le dio la impresión de que le dolía un poco. Lo miró sin decir palabra y, cuando pensaba que se iba a retirar del todo, se acercó de nuevo y le rozó los labios con los suyos. Fue una caricia suave, provocadora, pero que despertó un deseo fiero y ardiente en su interior.

–¿Tienes hambre? –le preguntó él con naturalidad mientras se apartaba de ella y recogía la maleta fin de semana de Caitlin.

Se preguntó si sus besos lo afectarían igual que a ella. Tal vez estuviera acostumbrado a ese nivel de sensualidad cuando besaba...

Consciente de que él esperaba una respuesta, se apresuró a contestar.

–Esto, sí, estoy muerta de hambre –mintió.

La verdad era que estaba tan nerviosa que lo último en lo que pensaba era en comer.

–Bien. Conozco un pequeño restaurante muy típico en la Ribera Izquierda.

Avanzó delante de ella, y Caitlin tuvo que apresurarse para seguir su paso. Notó cómo lo miraban algunas mujeres al pasar; en sus ojos había sólo admiración. No era de extrañar que él la atrajera, pensaba mientras él se daba la vuelta y la esperaba a la puerta. Era formidablemente guapo, y el traje oscuro no hacía más que enfatizar su estiloso encanto parisino.

Llegaron a su Mercedes que estaba en el aparcamiento, y mientras ella ocupaba el cómodo asiento de cuero, él metía sus cosas en el maletero.

–¿Te parece bien si vamos directamente a comer, o prefieres ir primero a mi casa? –le preguntó mientras se sentaba al volante.

–Vamos a comer –dijo ella apresuradamente.

Quería posponer el ir a su casa lo más posible; sólo de pensar en estar a solas con él le entraba una extraña aprensión.

–Pareces conocer muy bien París –dijo Caitlin tras observarlo durante un rato.

–Paso mucho tiempo aquí. Supongo que se podría decir que es mi ciudad, el sitio donde me crié. Mi madre era una modelo parisina que trabajó para algunas de las casas más importantes. Y mi padre era banquero aquí.

–¿Siguen vivos tus padres? –le preguntó Caitlin en tono suave.

–No. Mi padre falleció cuando yo tenía dieciséis, y mi madre diez años después. Se volvió a casar, pero fue un desastre y se divorció. Desde entonces no gozó de buena salud.

–Lo siento, Ray, eso debió de ser horrible.

–Así es la vida, ¿no? –aparcó el coche en un espacio vacío–. Solía culpar a mi padrastro por hacerla tan infeliz. Pero al volver la vista atrás me doy cuenta de que no fue todo culpa suya. Mi madre se quedó hundida después de la muerte de mi padre, y supongo que eso fue lo que le pasó. Estaba intentando recuperar lo que había tenido con él, y ése es un camino muy peligroso.

Salió del coche con él. El aire de la noche era fresco, y los adoquines brillaban a causa del chaparrón que había caído unas horas antes.

Se preguntó si ese razonamiento era lo que mantenía a Ray soltero. Tal vez sentía que había tenido suerte una vez con el matrimonio y no quería arriesgarse a implicarse otra vez con nadie. Entonces se dio cuenta de que estaba analizándolo y dejó de pensar en esas cosas. Se reprendió para sus adentros, diciéndose que Ray era soltero porque así lo quería él. Y no era asunto suyo.

Al dar la vuelta a una esquina vio el Sena con su superficie lisa como la seda y sus riberas iluminadas por un collar de luces de ámbar.

–Allí es donde vamos –Ray le señaló un punto en la ribera, y Caitlin vio que había una terraza–. Las vistas del río son espectaculares, y la comida muy buena.

–Me parece estupendo –Caitlin sonrió–. ¿Es aquí adonde traes a tus conquistas?

Nada más decirlo se arrepintió. ¿De dónde le había salido eso?

–No sabía que tú fueras una conquista –él la miró a la cara y sonrió–. Sin embargo...

–Bueno, al decir conquista me refiero a que estoy aquí contigo en París..., no a otra cosa.

Intentó salir del apuro, pero cada vez se sentía peor.

Él se echó a reír y le dio la mano de nuevo.

–Vamos, Caitlin, no se puede pensar demasiado con el estómago vacío. Estás aquí y eso es todo lo que importa.

Caminaron por la calle hacia el restaurante en silencio. Al llegar, Ray le abrió la puerta para que ella entrara primero.

Dentro hacía buena temperatura, a pesar de que había unas puertas abiertas que daban a una terraza. Tal ez el calor fuera generado por la cantidad de gente que ocupaba la barra o cada mesa iluminada por una vela. O tal vez fueran los enormes hornos visibles a través de una arcada de piedra los que generaban el calor. El local tenía un ambiente estupendo, con la mezcla precisa de sofisticación e informalidad; las conversaciones en francés se sucedían a su alrededor a medida que avanzaban hacia la barra.

–¿Crees que conseguiremos mesa? –le preguntó ella.

Antes de que Ray pudiera contestar, fue a saludarlo un hombre que salió de detrás de la barra y le dio un abrazo y unas palmadas en la espalda.

Por un momento hablaron en francés, y Caitlin se quedó fascinada oyendo a Ray hablar en su lengua materna. Si su inglés resultaba sexy, no podía compararse con el tono delicioso y musical de su lengua materna.

Ray le presentó brevemente al hombre, que se llamaba Henry y le dio dos besos, uno en cada mejilla, antes de conducirlos a la única mesa vacía que había en la sala, desde donde había una vista estupenda de la terraza y la ribera iluminada.

–Veo que tienes amigos muy influyentes –le dijo Caitlin sonriente–. No sólo tenemos una mesa, sino que creo que es la mejor de todo el restaurante.

–Sí, bueno, Henry y yo nos conocemos desde el colegio –dijo Ray, que enseguida bajó la vista al menú–. ¿Qué te apetece comer?

Caitlin estudió la selección de comidas. Estaba todo en francés, pero entendía la mayoría de las cosas.

–¿Por qué no pruebas los caracoles, para empezar? –le dijo él.

Ella hizo una mueca.

–¿Caracoles? –lo miró y vio que le estaba tomando un poco el pelo–. No quiero verlos ni en el jardín, mucho menos comérmelos.

Ray se echó a reír.

–Entonces supongo que elegirás rosbif, el plato más inglés.

Ella también se echó a reír.

–Pero lo tomaré con mostaza francesa.

–Eres preciosa cuando te ríes, ¿lo sabías, Caitlin? –le dijo en voz baja.

El elogio la sorprendió. Quiso decir algo para quitarle importancia, para atribuirlo sólo a su coquetería. Entonces lo miró a los ojos; estaban muy serios por un momento, y Caitlin se quedó sin palabras. Lo único que pudo decir fue gracias.

Él vio una sombra de vulnerabilidad, de incertidumbre en sus ojos verdes.

–David te hizo una buena, ¿no? –comentó de pronto.

–No sé a lo que te refieres –le dijo ella, aclarándose la voz con nerviosismo.

–Quiero decir que te hizo mucho daño... te quitó parte de ese aire de radiante confianza que brilla naturalmente en tus ojos, en tu sonrisa...

Ella tragó saliva con fuerza.

–Han sido unos meses muy duros –reconoció con ligereza–. Pero ahora estoy bien, Ray.

Él asintió.

–Bueno, al menos estando aquí el fin de semana no pensarás en nada, así que cambiemos de tema, ¿vale?

–Sí, buena idea.

Caitlin sonrió y bajó la vista, fingiendo estudiar el menú con todo detalle. Pero en realidad no se le había acelerado el pulso porque hubiera mencionado a David, sino por su modo de mirarla, por su manera de elogiarla, con tanta sinceridad, como si su bienestar le importara de verdad. Seguramente estaría haciendo el paripé; pero lo estaba haciendo de maravilla.

La camarera llegó y les tomó nota. Caitlin pidió en francés, sabiendo que Ray la estaba mirando.

–¿Qué tal lo he hecho? –le preguntó cuando estuvieron de nuevo a solas.

–Bien.

–Sólo quería saber qué tal pronuncio –se encogió de hombros–. Cuando vosotros los franceses habláis inglés suena muy bien... Me preguntaba si era igual al contrario.

–Deja que vuelva a escucharte –le dijo mientras le ponía la mano debajo de la barbilla para ver cada cambio de tonalidad en sus ojos verde esmeralda–. Podrías decirme: «Ray, estoy muy contenta de estar aquí en París contigo... ¿Dónde has estado todo este tiempo?»

–Bobo –Caitlin sonrió.

–¿Eso no te gusta? A ver, entonces, déjame pensar otra cosa.

Detrás de ellos, en un pequeño escenario, una guitarrista empezó a cantar una canción francesa de amor. Su melodía arrebatadora silenció el murmullo de las conversaciones a su alrededor, y varias personas se levantaron a bailar en la pequeña pista que había en la terraza.

–Ah, ya sé –dijo Ray con suavidad–. Podrías decirme, «Ray, baila conmigo, por favor. Quiero que me abraces».

Sabía que sólo le estaba tomando el pelo, pero aun así sintió un calor en las mejillas. Caitlin miró las parejas que bailaban en la pista, que más que bailar estaban besuqueándose. Sólo de pensar en estar tan cerca de Ray se le desbocaba el corazón.

–Deja que te ayude –murmuró Ray con una sonrisa antes de repetir las palabras en francés.

Entonces se puso de pie y le tendió la mano.

La pista estaba llena de parejas, de modo que de haber querido, no podría haber bailado muy separada de él. Sin decir nada dejó que él la tomara entre sus brazos. El aroma de su colonia asaltó sus sentidos, y Caitlin cerró los ojos y apoyó la cabeza sobre su pecho. El placer intenso que le corría por las venas resultaba en parte aterrador y en parte un placer.

Le puso una mano en la cintura y otra en la espalda. Caitlin pensó que jamás había sido tan consciente del roce de las manos de un hombre, o de un cuerpo tan potente como el que tenía junto a ella. Y de pronto fue como si estuvieran solos en la pista, como si el tiempo se hubiera suspendido. Quería que el baile durara eternamente, quedarse en el calor de su abrazo y nunca, nunca más, volver a poner los pies en la tierra.

Cuando la música cambió siguieron bailando. Ray le susurró algo al oído en francés; el sonido de su voz y el roce de su aliento sobre su piel le hizo estremecerse.

–Tengo que decirte algo... Caitlin mía –le dijo en su idioma.

La forma posesiva que le dio a su nombre la sorprendió y alzó la cabeza para mirarlo.

Entonces él vaciló y finalmente sonrió.

–No sé qué voy a hacer para no tocarte esta noche –le dijo despacio.

Aunque Caitlin no sabía mucho francés, entendió perfectamente lo que le había dicho. Trató de fingir lo contrario, se encogió de hombros para hacer como si no entendiera. Pero la verdad era que había entendido perfectamente lo que le había querido decir... Y, peor aún, ella sentía exactamente lo mismo. Quería decirle tantas cosas que le dolía por dentro.

–Y, algo más... Has dicho *moules mariniére* como si fuera la comida más sexy del mundo –le aseguró él con solemnidad.

Ella se echó a reír, encantada de que hubiera distendido la tensión sexual del momento con un comentario tan tonto.

–Estás loco, ¿lo sabías? –le dijo con voz ronca.

–Sí, loco por ti –le respondió él en tono suave, mirándola a los ojos.

Caitlin decidió no tomárselo demasiado en serio, pero el estremecimiento que le provocó el comentario fue de lo más real.

–Vamos a sentarnos... Nos han traído la comida –se apartó de ella, pero no le soltó la mano.

En cuanto se sentó frente a él notó que el corazón se le aceleraba de nuevo. Ray, por otra parte, parecía tan tranquilo. Sonrió y le sirvió una copa de vino.

–Y dime –la invitó con afabilidad–. ¿Cómo van de verdad los progresos de la casa?

Debería haberse alegrado de que él hubiera cambiado de tema pero, por muy fastidioso que le resultara, la casa era de lo que menos le apetecía hablar en ese momento. Caitlin alcanzó su copa de vino y tomó un sorbo.

–La escalera está casi terminada –le dijo, intentando concentrarse–. Patrick ha estado trabajando mucho.

–Es un buen hombre.

Caitlin asintió.

–Me parece muy de fiar. Le dejé un juego de llaves porque me dijo que tal vez se pasaría el fin de semana a trabajar un poco –bajó la vista un momento–. No hay resentimiento por tu parte, Ray, por no querer venderte la finca, ¿verdad?

No supo qué le llevó a decirle eso, pero de pronto le pareció importante.

Ray pensó en ello un momento y se preguntó qué diría Caitlin si supiera que su propiedad estaba frenando la construcción de unas villas de lujo. Y que cada semana que pasaba ella le estaba costando a su empresa miles de euros. Philippe estaba cada vez más impaciente y enfadado por ello.

Caitlin frunció el ceño cuando él no le contestó inmediatamente.

–Sólo es que me encanta esa casa, Ray –le dijo con pasión–. Tiene tanto encanto, y sé que quedará preciosa cuando la termine.

La pasión que sentía por su proyecto le hizo sonreír.

–Te pareces a mí cuando estoy trabajando con un diseño nuevo –le dijo él–. Pero si mi consejo te sirve de algo, Caitlin... No te enamores nunca de un proyecto así. Tienes que ser objetiva y fría todo el tiempo, porque si no podría terminar costándote mucho más dinero del necesario.

–¿Y tú eres objetivo y frío todo el tiempo? –le preguntó mientras lo miraba a los ojos sin vacilar.

–Siempre he intentado serlo en el pasado –le dijo él en tono bajo.

Su mirada seria, su tono de voz, le hizo preguntarse qué se le estaría pasando por la mente.

Ella se encogió de hombros.

–Bueno, creo que hay cosas más importantes que el dinero, y alcanzar nuestros objetivos es una de ellas. Y a veces eso proporciona placer... –su voz se fue apagando con vacilación al ver que él la miraba con fervor–. Crees que soy una ingenua, ¿verdad?

Él sonrió.

–Creo que eres increíblemente encantadora –le dijo–. Y como respuesta a tu pregunta de antes, no, no te guardo rencor.

La camarera llegó para llevarse los platos y les preguntó si deseaban algo más.

Ray miró a Caitlin.

–¿Te apetece un café y un coñac aquí, o lo tomamos en mi casa?

A Caitlin se le disparó la adrenalina.

–Vamos a tu casa –dijo en tono bajo.

Capítulo 7

AL SALIR a la calle, Caitlin sintió un poco de frío después del calor del bistrot. Ray le echó el brazo por los hombros y de pronto la causa de sus estremecimientos varió totalmente.

–¿Estás bien? –le preguntó con suavidad.

–Estoy bien, sí –se apoyó un poco sobre él–. No hace tanto frío, ¿verdad? –le dijo con ligereza–. Debe de ser la edad.

–¿La edad? –se echó a reír–. Sólo tienes veintinueve años.

–¿Qué hora es? –le preguntó Caitlin.

Ray echó un vistazo a su reloj.

–Las doce y cuarto.

–Entonces ya no tengo veintinueve años –le dijo con un suspiro–. Tengo treinta. Qué depresión.

–¡Es tu cumpleaños! –Ray dejó de andar y la miró–. ¿Ibas a casarte el día de tu cumpleaños?

Ella asintió.

–Cuando lo planeé me pareció lo más normal. Los treinta me parecía una buena edad para forjar un compromiso...

–Si era la persona indebida, no –dijo Ray con delicadeza.

–Bueno, ahora me doy cuenta de ello –le dijo con voz ronca.

Ray la miró y deseó poder ver la expresión de su cara, pero estaba en sombras. Le acarició la cabeza.

–Feliz cumpleaños, Caitlin.

–Gracias –tragó saliva.

El estar allí con él le parecía tan apropiado. Era la sensación más extraña que había tenido en su vida, y no era capaz de entenderla.

Él se inclinó hacia delante y sus labios se unieron a los suyos, provocando de nuevo aquellos fuegos artificiales en su interior. Y cuando ella empezó a besarlo también se dio cuenta de que lo que sentía por Ray no era nada superficial. Pero enseguida se dijo que no quería analizar lo que sentía. Aquello no era más que una diversión sana, y si pretendía trasformarla en algo serio se arriesgaba a sufrir.

En ese momento empezó a caer una leve llovizna que los pilló a los dos de sorpresa. Se apartaron, riéndose, y echaron a correr de la mano hacia el coche.

París estaba preciosa de noche. Cruzaron amplios bulevares, pasaron por delante el Arco del Triunfo y después junto a la Torre Eiffel, que brillaba con su luz dorada que se reflejaba en el Sena.

–La ciudad es tan bella –murmuró Caitlin.

–Sí, yo pienso lo mismo –Ray sonrió–. He dado esta vuelta para regresar a mi casa y que así pudieras ver un poco. Pero mañana haremos una visita en toda regla. Y esperemos que no llueva –añadió en voz baja–. Aunque no puedo prometerte nada; así es el mes de abril en París.

Caitlin lo miró y sonrió.

–Me parece estupendo.

Al poco rato Ray aparcó en una calle tranquila y flanqueada por árboles.

–Mi apartamento está ahí abajo –señaló una elegante fila de casas adosadas.

Caitlin admiró sus balcones de hierro forjado, los intrincados detalles de la filigrana.

–Vamos dentro –dijo él mientras abría la puerta del coche.

Sus palabras y el hecho de estar en su casa provocaron en ella una tensión repentina.

Con firmeza intentó no pensar que iba a estar a solas con él en su apartamento.

–Yo pensaba que tendrías un apartamento ultra moderno en un edificio de acero y cristal –dijo, intentando que la conversación continuara siendo casual.

–Supongo que en el fondo soy un tradicionalista –dijo Ray echándose a reír–. En realidad, me inspiro mucho para mis diseños en la grandeza de los días de antaño. Espero que no quedes decepcionada.

–Al contrario, creo que eso es algo que tenemos en común. Me gustan las casas antiguas; supongo que es una de las razones por las que me encanta estar restaurando la casa de Murdo –lo observó mientras sacaba su maleta del maletero–. Así que, ya ves, yo también soy un poco tradicionalista.

Era cierto. Era casi chapada a la antigua en algunas cosas. Por ejemplo, jamás se había acostado con nadie una noche, o sin conocer a la persona. Sus relaciones habían sido todas con hombres que había querido, y que había pensado que la amaban.

¿Entonces qué hacía allí?, se preguntaba mientras empezaba a sentir recelo. ¿Estaba a punto de echar sus ideas por la borda y meterse en la cama con Ray Pascal? ¿Y si era así, estaría acaso cometiendo un grave error?

El apartamento de Ray era elegante y espacioso. Los suelos eran de tarima de arce muy pulida y los sofás de cuero de un suave tono vainilla; en realidad, todo su apartamento destilaba estilo y dinero.

–Es un apartamento precioso –dijo ella mientras se acercaba a la cristalera para mirar.

Fuera había una pequeña azotea. Ray accionó un interruptor que encendió las luces suaves de la terraza, iluminando las macetas de flores y la mesa y las sillas de hierro forjado. De fondo, la ciudad brillaba como un millón de valiosos diamantes.

–Las vistas son también maravillosas.

–Sí, sólo que no tengo demasiado tiempo para admirarlas –Ray dejó el correo sobre un aparador antiguo y encendió unas cuantas lámparas más–. ¿Te gustaría refrescarte un poco mientras preparo unas bebidas? –le preguntó.

–Sí, de acuerdo.

–Te he puesto en mi dormitorio, para que estés más cómoda.

Caitlin se volvió y sus miradas se encontraron. Se preguntó cómo sería compartir con él esa habitación... dormir entre sus brazos, hundirse en sus besos. Con urgencia intentó ignorar el deseo que se desataba en su interior sólo de pensar en ello. No debería haber ido allí; tal vez debería marcharse antes de cometer un error.

–Me siento muy culpable por sacarte de tu dormitorio, Ray, sobre todo con el día tan ajetreado que has tenido –dijo apresuradamente–. Sabes, podría irme a un hotel... Debe de haber varios por aquí.

–Sí, varios –concedió, entonces se apoyó en el aparador y le sonrió divertido–. Pero acordamos que te quedarías aquí y, como soy un hombre de palabra, no quiero ni oírte decir que te vas a ir a un hotel.

–Gracias –dijo, sin saber qué más decir.

–El dormitorio está por aquí –Ray la condujo por un corto pasillo y subió unos escalones.

La habitación era muy lujosa, y tenía una cama enorme que dominaba el centro de la pieza. Seguramente debía de ser la cama más grande que Caitlin había visto en su vida.

–El cuarto de baño está por aquí –Ray dejó su maleta fin de semana en el suelo y señaló una puerta en un extremo de la habitación–. Podemos tomarnos un café y un coñac en la terraza si todavía está seca.

–Gracias.

En cuanto Ray cerró la puerta, Caitlin se tiró en la cama. Debería haberle dicho que no quería tomar una copa... En realidad, lo más seguro sería quedarse allí metida y no salir hasta que tuviera que marcharse al aeropuerto el domingo.

Sonrió.

–Cobarde –dijo en voz baja.

Entonces, molesta consigo misma, se levantó, agarró su bolsa de aseo y se fue al baño.

Se retocó rápidamente el maquillaje y el carmín de los labios y se pasó el cepillo para alisarse un poco las puntas que se le habían empezado a rizar con la humedad de la lluvia.

Sí, eso estaba mejor. Retrocedió, se miró y sonrió. Iba a relajarse y a disfrutar; no a pensar demasiado en nada.

Cuando entró en el salón, Ray había puesto música, pero no estaba allí. Se asomó a la terraza y vio que estaba lloviendo otra vez.

–Estoy aquí –oyó decir a Ray desde una habitación junto al salón.

Ella fue hacia allí y lo encontró en su despacho, sentado en el borde de un escritorio, leyendo parte del correo. Había dos copas de coñac en la mesa.

–Lo siento –tomó una copa y se la pasó a Caitlin–. Me he distraído. Voy a preparar el café.

–No, está bien –se acercó a él y tomó la copa–. Con el coñac tengo bastante –se fijó en la bandeja del correo y vio que estaba llena de papeles–. Parece que tienes bastante correo que abrir.

–Los faxes de una semana. Siempre me pasa lo mismo cuando llego; me paso todo el tiempo poniéndome al día con la correspondencia. La mayor parte de ello son cosas sin importancia, por supuesto, pero tengo que revisarlo de todos modos.

–No te vendría mal una secretaria –Caitlin se sentó al lado suyo y dio un sorbo de coñac.

–Sí... Tengo una en la oficina –respondió Ray, medio distraído.

Caitlin miró a su alrededor. Aunque ése era su lugar

de trabajo, la pieza tenía un aire acogedor, con sus paredes forradas de libros y las luces tenues. Había una cama en una esquina de la habitación y sobre ella, en la pared, unas pinturas impresionantes de París.

Se acercó a echarles una mirada.

–Son preciosas –le dirigió una mirada, pero él apenas si la miró–. Y es un despacho muy bonito –comentó mientras se sentaba en la cama–. Se podría utilizar de dormitorio.

En ese momento sí que empezó a prestarle atención. Dejó la carta sobre la mesa, la miró y sonrió.

–Es donde voy a dormir esta noche. Claro está, si no consigo una oferta mejor –añadió con picardía.

–Ah... entiendo.

Ray vio que se ponía colorada y sonrió.

–Es una cama bastante cómoda –continuó apresuradamente Caitlin para disimular su vergüenza.

–¿De verdad? –le preguntó con expresión de pesar.

–Desde luego –dijo mientras botaba un poco sobre el colchón–. Si quieres te la cambio por tu cama, y así podrás quedarte en tu habitación.

Él negó con la cabeza.

–No era ésa la clase de oferta que esperaba.

Sus palabras consiguieron que ella se estremeciera. Lo miró y se encontró con el brillo provocador de su mirada.

–Tú sí que sabes conseguir lo que quieres, Ray Pascal –dijo con agudeza.

–¿Y qué te hace decir eso? –le dijo él echándose a reír.

–Porque lo eres –se levantó de la cama y fue hacia la mesa–. Y me han advertido que tenga cuidado contigo.

–¿Quién? –le preguntó divertido.

–Sharon, para empezar –se detuvo a un metro de él.

–¿Y qué sabe Sharon de nada? –Ray estiró el brazo y tiró de ella, entonces le quitó la copa de la mano y la dejó sobre la mesa.

–Bueno, me dijo que por tu vida pasaban muchas mujeres, y sabe quién es Claudette.

–Lo único que sabe Sharon es que nunca me he acostado con ella; ni ganas que tengo.

Caitlin sonrió.

–Se quedaría fatal si te oyera –dijo Caitlin.

–Pues eso no me va a quitar el sueño –le dijo con suavidad–. Mira, la cosa es así –empezó a decirle mientras la miraba a los ojos–. Claudette pertenece al pasado, David pertenece al pasado, y en el presente estamos solos tú y yo y una cama muy incómoda.

Ella sonrío vacilante, pero cuando él empezó a abrazarla se le aceleró el pulso.

–De acuerdo –susurró con voz ronca–. Porque a mí sólo me interesa el presente.

Se inclinó hacia delante, y para sorpresa suya, Ray no respondió inmediatamente cuando ella le puso las manos sobre los hombros y empezó a besarlo con pasión.

Durante unos momentos Ray dejó que Caitlin dictara el paso y se controló. Pero los labios de Caitlin eran cada vez más persuasivos, y sus manos se movían acariciando su cabeza morena. Lo deseaba tanto, deseaba tanto que la besara como lo había hecho antes.

Entonces, de pronto, Ray empezó a besarla como ella quería, y sus labios se tornaron ávidos y exigentes. Ella se deleitó en las sensaciones de placer que recorrían su cuerpo de arriba abajo. Pero cuando ya se estaba hundiendo en aquel torbellino de placer, él se apartó de ella.

–¿Estás segura de esto, Caitlin? –le preguntó él con voz ronca–. Porque si seguimos así no voy a poder controlarme. Mi control no llega a tanto, Caitlin.

A ella le dio un vuelco el corazón. Desde que había empezado a besarlo, el fuego que había surgido en su interior seguía rugiendo.

–Hazme el amor, Ray.

Él sonrió, y Caitlin vio el brillo del triunfo en sus ojos oscuros. Entonces empezó a desabrocharle el botón del top rojo, rozándole la piel suavemente con las yemas de los dedos, provocándole temblores de deseo.

–¿Y qué era eso que decías –murmuró con humor mientras la miraba a los ojos– de dormir en camas separadas? –en ese momento terminó de quitarle el top rojo.

–Ha sido una tontería, ¿verdad? –murmuró Caitlin, que cerró los ojos al sentir una oleada de placer recorriéndole todo el cuerpo, porque él le estaba acariciando los pechos a través del sujetador de encaje–. Y mira dónde estoy ahora.

Ray encontró el broche del sujetador y jugueteó un poco con él.

–¿Entonces nada de dormir en camas separadas?

–De momento no...

Caitlin deseaba con desesperación sus caricias. Él estaba sentado en el borde de la mesa y ella de pie entre sus muslos.

–Ésa no es una buena respuesta –le dijo él en tono provocativo–. Deberías haberme dicho: «de acuerdo, Ray, no volveré a hablar de dormir en camas separadas; te lo prometo».

–Es usted un guasón, señor Pascal –murmuró medio molesta consigo misma, medio divertida por sus exigencias.

–Para conocerse a uno mismo hace falta escuchar a los demás –dijo Ray mientras le bajaba la cremallera de la falda.

Entonces le desabrochó un corchete y dejó que la prenda cayera al suelo, de modo que se quedó delante de él con el sujetador y la braga, las botas negras y las medias con el elástico de encaje.

–Bonito modelo –murmuró mientras la miraba con apetito.

La posesividad que vio en su mirada consiguió que

se le aceleraran los sentidos; era casi como si su mirada la acariciara.

–¿Y yo soy la única que se va a desvestir aquí? –murmuró en tono ronco mientras empezaba a desabotonarle la camisa.

Al hacerlo le metió las manos por dentro y le acarició el pecho musculoso.

Él se inclinó hacia delante y la besó tan apasionadamente que Caitlin sintió que se disolvía de deseo. Ella le echó los brazos al cuello y lo besó del mismo modo. Al momento él la levantó en brazos y le dio la vuelta y la sentó encima del escritorio. Él retiró las copas y los papeles a un lado para hacer sitio, y algunos de los papeles se cayeron al suelo; pero ninguno de los dos notó siquiera lo que había pasado, puesto que estaban ajenos a todo lo que pasaba a su alrededor.

Caitlin notó de pasada la superficie de la mesa en donde se había tumbado. Lo único que podía pensar era en la dicha de sus manos acariciándola, en la suavidad de sus labios ardientes mientras la besaba en el cuello y los hombros.

Le desabrochó el sujetador e inclinó entonces la cabeza para juguetear con las puntas rosadas de sus pezones. Caitlin gimió de placer al sentir que le retiraba el delicado encaje de las braguitas para explorarla más a fondo.

–Ray, te deseo tanto –murmuró con incoherencia, desesperada con aquel deseo que la arañaba por dentro con ardiente intensidad.

Él la levantó de la mesa como si fuera una muñeca de trapo y ella le abrazó la cintura con las piernas mientras él la llevaba a la cama del rincón.

–Por lo menos vamos a ponernos un poco más cómodos –le dijo mientras la colocaba con suavidad sobre los cojines de seda.

Ella lo observó mientras se quitaba la camisa y aprovechó para quitarse también las botas y bajarse las medias. Cuando levantó la vista vio que él la miraba con deseo.

–Dios, eres tan preciosa, Caitlin.

Acarició sus piernas largas y torneadas, sus muslos bien formados, mientras ella se tumbaba del todo sobre los cojines. Él era también precioso, pensaba Caitlin medio embobada. Tenía un cuerpo increíblemente, de hombros anchos, caderas estrechas, un estómago plano y una erección que le aceleró el pulso todavía más.

La única prenda que ella llevaba puesta en ese momento eran unas braguitas negras de encaje, con las que él empezó a juguetear antes de bajárselas con firmeza y arrodillarse delante de ella. Ray se la comía con los ojos, fijándose en el modo en que su cabello se esparcía sobre los cojines dorados sobre los que tenía apoyada la cabeza, en el rubor de sus mejillas, en la curva suave de sus labios; y entonces empezó a bajar, examinando las curvas de su cuerpo como si quisiera memorizarlas.

Le tocó los pechos con suavidad, exploró su turgencia, rozándole los pezones ligeramente con la yema de los dedos. Ella se estremeció y cerró los ojos mientras se deleitaba en el placer que le provocaba. Esperarlo era una tortura placentera; cada nervio, cada centímetro de su piel temblaba por él. Levantó las manos y las colocó sobre sus hombros, urgiéndole en silencio a que se acercara más a ella.

Y entonces sintió toda la fuerza de su erección presionándole el vientre hasta que estuvo dentro de ella. El placer le resultó tan intenso que emitió un gemido entrecortado.

–¿Estás bien? –le preguntó él mientras le retiraba el cabello de la cara con ternura.

–Estoy mejor que bien –le susurró sonriéndole, deleitándose con su ternura.

Entonces empezó a mover las caderas con provocación para que se pegara más a ella. Su necesidad rayaba en la glotonería; la comía por dentro. Lo deseaba con una impaciencia que jamás había conocido. Ray sonrió y se inclinó para besarle el cuello, la cara.

–Paciencia, linda mía... –le susurró, y entonces empezó a hablarle en francés.

Con sus palabras la provocó con tanta habilidad que la llevó en varias ocasiones al borde del clímax. Ella se abrazó a él, presionando con sus labios su piel cálida, gimiendo de placer, deseosa de que continuara eternamente y al mismo tiempo impaciente por alcanzar el orgasmo.

Ray era un amante habilidoso. Sabía exactamente cómo darle placer a una mujer. La provocó y atormentó, llevándola a las mareantes cimas del placer, asaltándole todo el cuerpo con los labios, acariciándola al mismo tiempo con sus manos hábiles y expertas. Entonces, cuando pensó que no podría soportarlo más, la poseyó de nuevo hasta elevarla a la cima salvaje de un placer que estalló en su interior en sucesivas oleadas.

Y allí abrazada a él, Caitlin quedó envuelta en el calor de sus brazos, tan exhausta que ni siquiera podía pensar con coherencia, menos todavía hablar. Él la acarició con ternura, como si fuera un bebé entre sus brazos, y le susurró palabras dulces al oído.

Caitlin se acurrucó junto a él aún más, como si no fuera suficiente el estar piel con piel, como si quisiera fundirse con él. Jamás había sentido tanto deseo, tanta satisfacción.

Entonces sus labios dieron con los de ella y la besó de nuevo, esa vez sin la avidez inicial, sino con toda la ternura del amante saciado...

Caitlin gimió y le echó los brazos por los hombros. Quería decirle lo mucho que lo amaba... la desesperación de su deseo... y que haría cualquier cosa por él. Esos pensamientos daban vueltas en su cabeza como un torbellino de confusión cuando el agotamiento la venció y cayó en un sueño profundo.

Capítulo 8

CAITLIN se despertó desorientada. Frente a ella había unos estantes llenos de libros... Todo le resultaba extraño a sus ojos adormilados. Se estiró, toda ella entumecida. Y entonces los recuerdos de la noche anterior empezaron a pasar por su mente como una película en tecnicolor. El modo en que casi le había rogado a Ray que le hiciera el amor, cómo él la había desnudado sobre la mesa y cómo le había llevado a alcanzar el clímax entre los cojines de seda.

Entonces recordó que la había despertado por la noche para amarla de nuevo, y cómo ella había respondido a sus exigencias con fiereza, deleitándose en el fuego de sus labios y de sus manos que la acariciaban curiosas, diestras. Los músculos del estómago se le contrajeron cuando una oleada de deseo renovado la golpeó.

Pero el recuerdo que más la inquietaba era el de los sentimientos que habían acompañado su apasionada unión... las emociones que la habían empujado, las palabras que no se había atrevido a pronunciar... Frunció el ceño y se pasó por la cabeza una mano temblorosa... Al menos esperaba no haberle dicho nada; la verdad, no estaba segura... Ya era bastante que se hubiera mostrado totalmente desinhibida delante de él, y que Ray supiera ya que su cuerpo era todo suyo, para que lo tomara a su antojo; así que no pensaba decirle que su corazón también estaba incluido en el lote.

Se quedó mirando el techo mientras se decía muy enfadada que los sentimientos de amor no eran tales, que se los había imaginado. La noche anterior había sido un momento de diversión, dos adultos que habían decidido disfrutar el uno del otro. No sabía por qué sentía lo que sentía; tal vez fuera porque ningún hombre le había hecho sentirse tan libertina, tan bien, tan llena de placer... Y estaba equivocando un sexo maravilloso con el amor. Eso lo explicaba todo, se dijo con convicción.

De pronto oyó el ruido de un cajón cerrándose y miró hacia el escritorio. Ray cerró un archivador y se volvió en la silla hacia ella.

–Buenos días, dormilona –le dijo con una sonrisa tierna en los labios.

El sonido de su voz, el brillo sensual de sus ojos negros redujeron a nada la fuerza y convicción de sus pensamientos. No recordaba haberse sentido jamás tan abrumada por un hombre; era sin duda sensacional.

–Buenos días –contestó ella–. ¿Qué hora es?

–Las ocho menos cuarto.

–¡Dios mío, tan temprano! –se estiró con cuidado para que la sábana no se le resbalara–. ¿Qué estás haciendo? –le preguntó.

–Anoche dejamos los papeles que tenía en la mesa un poco desordenados –la miró y al ver el rubor en sus mejillas, sonrió con deleite–. Así que pensé en ordenarlo un poco y hacer algo de trabajo de paso. Así luego podremos salir y disfrutar del día.

–Me parece un buen plan.

Quería salir de la cama, pero como estaba desnuda le dio un poco de vergüenza.

–Creo que me voy a dar una ducha –dijo con vacilación.

–Mmm, buena idea. Yo iré en cuanto termine con esto.

¿Iría a ducharse con ella?, se preguntaba Caitlin con emoción. ¿O simplemente le había querido decir que le dejaba el baño para que lo usara primero?

Aparte de que ella le pareciera atractiva y de que eran sexualmente compatibles, no sabía qué más se le estaría pasando a él por la cabeza. Esa incertidumbre aumentaba su sensación de torpeza en cuanto al modo de conducirse en esa situación. Casi deseaba tener más experiencia en relaciones esporádicas.

Así que se enrolló la sábana alrededor del cuerpo como si fuera una toga y se puso a recoger del suelo las prendas de ropa que habían ido tirando la noche anterior. Cuando fue a recoger la falda, que estaba en el suelo junto al escritorio, no se atrevió a mirarlo, aunque sabía que él la estaba observando. Al darse la vuelta para salir del despacho e ir al cuarto de baño, él la agarró del brazo.

–¿No me das un beso de buenos días? –le preguntó con brusquedad.

El estómago se le encogió al mirarlo a los ojos, y dejó que él la sentara sobre su regazo.

–Esto está mejor –dijo él–. Lo de anoche fue maravilloso...

–Sí...

No sabía qué decir ni qué hacer. Lo único que quería era que él la abrazara y le hiciera lo mismo que le había hecho la noche anterior. Y esa falta de control la asustaba. Tenía que tener más cuidado para no demostrar tanto sus emociones. Los sentimientos de amor que había experimentado la noche anterior la asustaban más que ninguna otra cosa. Además, aún estaba dolida por la ruptura con David y no podía confiar en sus emociones.

Él notó la incertidumbre reflejada en sus ojos esmeralda.

–Eres una mujer muy sexy –murmuró mientras se inclinaba sobre ella.

Entonces sus labios se encontraron con los de ella y la besó con ardor y sensualidad, y el fuego se encendió en su interior con tanta ferocidad que terminó de derribarla del todo. Le hundió las manos en los cabellos, agarrándola mientras continuaba explorándole la boca con la suya. Entonces agarró la sábana y se la retiró para poder acariciarla a placer el cuerpo desnudo.

Cuando agachó la cabeza y sus labios dieron con sus pezones duros y calientes, Caitlin gimió y cerró los ojos, y la ropa que había recogido se le resbaló de las manos que inmediatamente se pusieron a acariciarle la cabeza. Entonces ella hundió la cara entre sus cabellos sedosos, aspirando su aroma a colonia y jabón.

De pronto empezó a sonar el teléfono que tenían detrás, y Ray dejó bruscamente lo que estaba haciendo. Ella quería decirle que lo ignorara, que no contestara; sus miradas se encontraron y ella le rogó con la mirada que siguiera besándole los pechos de aquel modo.

Por un momento pensó que iba a hacerlo, pero de pronto saltó el contestador.

–«Hola, Ray, soy Sadie... Necesito hablar contigo –dijo con voz sensual, en su francés nativo–. ¿Puedo verte hoy o no te viene bien? Es que...»

Ray cortó lo que fuera a decir descolgando el teléfono.

–Hola, Sadie –dijo, y vio que Caitlin se ponía la sábana alrededor del cuerpo–. No, hoy no puedo... Sí, por eso ayer salí antes de la oficina.

Caitlin se agachó a recoger su ropa y le dijo en voz baja que se iba a duchar.

Él asintió.

Cuando Caitlin salió del despacho la conversación telefónica continuó. Cerró la puerta al salir, dando gracias a Dios de que el teléfono los hubiera interrumpido. Así tendría oportunidad de serenarse un poco.

Una vez dentro de la ducha, que abrió a tope, se lavó el pelo y se enjabonó con brío en un vano intento de ahogar el deseo que aún la invadía.

Pero entonces se abrió la puerta de la ducha y entró Ray, y de pronto la idea de distanciarse de él quedó totalmente olvidada.

–¿Por dónde íbamos? –murmuró mientras la abrazaba con una sonrisa en los labios.

Cuando regresaron al apartamento esa tarde ya estaba anocheciendo. Habían navegado por el Sena en los *Bateaux Mouches*, admirando a su paso la fina arquitectura de la ciudad. Habían tomado el ascensor hasta lo alto de la Torre Eiffel y se habían sentado en un café de Montmatre al caer la tarde.

El plan había sido ducharse, cambiarse y salir a cenar. Pero en cuanto llegaron a la privacidad de su apartamento los planes habían quedado olvidados y habían terminado tumbándose en la cama y haciendo el amor apasionadamente.

A las diez y media de la noche se despertaron en el apartamento a oscuras, los dos muertos de hambre. De modo que Ray llamó a un restaurante para que les llevaran algo a domicilio y abrió una botella de champán. Como no llovía, comieron en la terraza mientras se deleitaban con el brillo de las luces parisienses.

–La vida es extraña, ¿verdad? –comentó Caitlin mientras daba un sorbo de champán–. Si alguien me hubiera dicho hace unos meses que estaría pasando mi cumpleaños en París contigo, no lo habría creído.

Ray sonrió.

–¿Qué es lo que dicen...? La vida es lo que pasa cuando estás ocupado haciendo otros planes.

–Eso es muy cierto –Caitlin dio un sorbo de champán y se le fueron las burbujas por la nariz.

–¿Qué pasó entre David y tú?

La pregunta callada la sorprendió.

Ray la observó en silencio un momento y entonces vio una sombra de vacilación en la mirada de ojos verdes. Ella desvió la mirada.

Cuando se habían levantado de la cama ella se había puesto una blusa de seda y unos pantalones vaqueros.

Tenía el cabello revuelto y un aspecto muy sexy; su piel lucía ese brillo en las mejillas que momentos antes había sido provocado por el placentero ejercicio físico... Y seguramente en ese momento sería porque le incomodaba la pregunta.

–Sencillamente, no funcionó, Ray –le respondió ella.

–¿Hubo otra mujer?

–¡No! –dijo, y pareció sofocarse aún más–. De haber sido eso tal vez me lo hubiera tomado mejor –añadió impulsivamente–. Al menos podría haberlo odiado por ello... –se encogió de hombros–. En lugar de eso siento que le he fallado... –añadió en tono ronco– porque no fui capaz de ayudarlo –miró a Ray a los ojos–. ¿Pero cómo puedes ayudar a alguien cuando no quieren reconocer que tienen un problema? Es adicto al juego, pero se niega a reconocerlo.

–Entiendo –dijo Ray en voz baja–. Muchos adictos son así, y si no están dispuestos a aceptar la ayuda, muy poco se puede hacer.

Caitlin negó con la cabeza.

–Seguramente yo no supe llevarlo muy bien. Cuando me enteré me quedé tan asombrada y tan enfadada que me marché de la casa. Pero después cuando me calmé traté de hablar con él. Fui a buscar folletos para ponernos en contacto con los servicios de ayuda locales, pero él se puso furioso sólo por el mero hecho de sugerírselo. Pensaba que teníamos que seguir como si aquello no tuviera importancia, que tan sólo era un hobby –Caitlin jugueteó con la copa–. Quitarme el anillo de compromiso fue mi último recurso... pero incluso entonces pensó que era yo la que estaba equivocada.

–Aún te preocupa, ¿verdad?

–Por supuesto que me preocupa. Hemos vivido tres años juntos, y es duro cerrarle la puerta a eso... –su voz ronca se fue apagando.

Entonces lo miró y la invadió una emoción descarnada. Aunque era cierto, que todavía quería a David, eso no podía compararse a las emociones que Ray desataba en su interior.

Sólo de pensarlo se estremeció por dentro, y dio otro sorbo de champán mientras se decía para sus adentros que no estaba pensando con coherencia.

–Así que ése es el estado actual de mi vida amorosa –intentó adoptar un tono ligero–. ¿Y tú?

Él se encogió de hombros.

–Desde que falleció Hélène me ha resultado más fácil evitar los líos amorosos. He trabajado mucho y me he involucrado poco en mis relaciones con las mujeres.

–¿Y eso es lo que recomiendas para un corazón roto? –le preguntó, intentando no aparentar demasiado interés.

Sabía que lo suyo con él era tan sólo una aventura pasajera, pero no le gustaba oírlo decir así con tanta frialdad.

–No, no lo recomendaría... –permaneció en silencio un momento y la tristeza ensombreció su mirada–. No puedo decir que me haya curado el dolor de perderla.

Caitlin tragó saliva con dificultad, avergonzada de repente de haber hecho un comentario tan poco delicado.

–Lo siento, Ray.

Él negó con la cabeza.

–He conseguido llegar a aceptar la muerte de Hélène... No me ha quedado otro remedio. Pero sigo echándola de menos.

Caitlin pegó las rodillas al pecho y se las abrazó.

–Háblame de ella –le dijo en voz baja.

–¿Qué quieres saber? –le preguntó ligeramente divertido.

Caitlin se encogió de hombros.

–Pues dónde os conocisteis, cómo era ella...

Caitlin apoyó la barbilla sobre las rodillas y lo observó.

–Nos conocimos en La Provenza, en el *château*. Mi

madre se había refugiado allí tras la muerte de mi padre, y estaba variando la decoración de la casa. Yo acababa de terminar la universidad, y fui a hacerle una visita antes de empezar a trabajar en París.

Entonces llegó Hélène con su equipo de decoradores a la zaga. Estaba preciosa con su melena de cabello negro cayéndole por los hombros y enmarcando su cara, como una pintura prerrafaelista. Tenía los ojos oscuros, unos labios carnosos que sonreían con facilidad, y rebosaba vitalidad. Mi visita de cuatro días se prolongó a dos semanas. Conseguí volver justo a tiempo para empezar mi trabajo en París. Entonces, dos semanas después la había convencido para que dejara su trabajo como diseñadora de interiores y se viniera a París a vivir conmigo.

–Caramba –susurró Caitlin–. Debió de ser amor a primera vista.

Ray asintió.

–Antes nunca había creído demasiado en el amor a primera vista. Pero sí, fue como un relámpago... Parece que la estoy viendo entrar en el *château* aquel día, y aún recuerdo muy bien lo que sentí cuando la vi... Dos meses después estábamos casados. Algunas personas se sorprendieron de que todo hubiera ocurrido con tanta rapidez –Ray se encogió de hombros–. Pero nosotros sabíamos que estábamos hechos el uno para el otro, y ahora me alegro de que no perdiéramos tiempo...

–¿Cuánto tiempo estuvisteis juntos? –le preguntó Caitlin en voz baja.

–Siete años, y fueron unos años muy buenos. Me asocié con Philippe, y a medida que el negocio despegaba pudimos empezar a pasar cada vez más tiempo en La Provenza. A Hélène siempre le encantó, para ella era su casa. Al principio sólo pasábamos allí el mes de agosto, cuando todo cerraba en París. Pero después de morir mi madre, cuando heredé el *château*, empezamos a pasar más tiempo allí.

Se quedó un momento en silencio.

–Y allí fue donde murió, en La Provenza, donde todo había comenzado... Perdió el control del coche en una de las curvas bajando al pueblo.

–Lo siento, Ray...

Por un momento creyó que no la había oído, entonces la miró y se encogió de hombros.

–La vida sigue, ¿no crees, Caitlin? Y uno debe aprender a continuar –dijo, de pronto en tono más duro.

Caitlin le tomó la mano. No sabía qué decirle; le pareció que sobraban las palabras.

Él le sonrió.

–Bueno, basta ya de esto –le dijo, de nuevo animado, mientras le rellenaba la copa de champán.

–Bebamos por el futuro, ¿de acuerdo? –alzó su copa.

Ella acababa de tomar un sorbo del champán cuando el teléfono los interrumpió.

–Enseguida vuelvo –Ray se llevó la copa adentro, dejando a Caitlin disfrutando de las vistas de la ciudad mientras reflexionaba sobre sus palabras.

Su ruptura con David había sido difícil, dura, pero comparada con lo que le había pasado a Ray le parecía de pronto insignificante.

Estaba claro que Ray seguía profundamente enamorado de su esposa fallecida; se le notaba en la voz, en los ojos.

Una brisa fresca sopló por la terraza. Caitlin se estremeció un poco y decidió quitar la mesa.

Cuando volvía de la cocina oyó la voz melodiosa de Ray que hablaba en francés. Impulsivamente, se acercó a la puerta del despacho para mirarlo.

Estaba sentado a la mesa de escritorio, pero no la vio porque estaba girado de lado mientras sacaba unos papeles de un archivador. Tenía el teléfono pillado entre la oreja y el hombro. Sin duda era una llamada de negocios.

«He trabajado mucho y me he involucrado poco en las relaciones con las mujeres».

Las palabras de Ray continuaban repitiéndose en su mente, y sintió cierto dolor al pensar en ellas. Entonces rápidamente se apartó de la puerta. Ella tenía que hacer lo mismo que él, se decía con firmeza.

Con el rabillo del ojo Ray vio a Caitlin que se apartaba de la puerta, y se pasó la mano por la cabeza con impaciencia.

–Mira, Philippe, es casi medianoche y no quiero hablar de esto ahora. Para empezar tengo aquí conmigo a Caitlin. Dejémoslo al menos hasta el lunes.

–El tiempo es oro, Ray. Necesitamos arreglar este asunto cuanto antes –le dijo su socio con insistencia–. El abogado me envió por fax una copia del testamento de Murdo esta mañana. Es muy interesante.

–Sí, Sadie también me llamó esta mañana para decírmelo...

–Pero desde entonces ya lo ha examinado un abogado –lo interrumpió Philippe con prontitud–. Y hay un modo de evitar el problema de que Caitlin no pueda vender en seis meses.

–Continúa –dijo Ray mientras apoyaba de nuevo la cabeza en el respaldo de la silla.

–Podrías casarte con ella.

Las suaves palabras consiguieron que Ray se incorporara en el asiento como movido por un resorte.

–¡Pero qué dices, Philippe! ¡Estás de broma!

–No, lo digo muy en serio. Murdo incluso te nombró en el testamento. Si te casas con Caitlin la propiedad será tuya ipso facto, e incluso ha dejado una cantidad de dinero como regalo de bodas para vosotros dos si os casáis. Te lo digo, Ray, si te casas con Caitlin al día siguiente podríamos meter las máquinas y derribarlo todo. Y, lo que es más, te llevarás un buen pedazo con el regalo de bodas. De acuerdo, sé que en cuanto te cases con ella la mitad de tus propiedades serán también suyas, pero podrías arreglar eso con un acuerdo prenupcial. A mi abogado esas cosas se le dan de maravilla.

Ray maldijo entre dientes.

–Es la cosa más absurda que he oído en mi vida. ¿Y qué te hace pensar que Caitlin querría participar en algo así?

–Vamos, Ray, podrías convencerla si quisieras.

–Estamos hablando de Caitlin –le recordó Ray–. A ella le encanta esa casa y no quiere venderla... Y lo que es más, seguramente sigue enamorada de su ex novio.

–Estupendo, es el mejor momento ahora que está despechada –le dijo Philippe con jovialidad–. Esto es bueno tanto para ti como para ella. Sé que te gusta, Ray. Vi cómo la mirabas el otro día durante la cena que diste en el *château*. Y está claro que te la has llevado a la cama.

–Eso no es asunto tuyo, Philippe –lo interrumpió Ray furiosamente.

–Mira, lo único que te estoy diciendo es que lo tengas en cuenta. Yo lo entiendo de este modo, que no tienes nada que perder y todo que ganar: una mujer bella en tu cama y un beneficio estupendo. Si no quieres seguir casado con ella siempre podrás divorciarte, y seguramente no te costaría tanto como perder del todo esa finca...

–Sabes una cosa, Philippe –lo interrumpió Ray con firmeza–. Que tienes una mentalidad de lo más mercenaria.

Philippe se echó a reír.

–Piénsatelo, es lo único que te estoy diciendo. ¿Por cierto, has recibido ya la copia del testamento de Murdo que te envié esta mañana por fax?

–Sí, la tengo aquí en mi mesa, pero no me interesa, y estás yendo demasiado lejos –le dijo Ray muy enfadado.

–Bueno, por lo menos deberías echarle un vistazo. Y no quiero ser ni mercenario ni metomentodo, Ray, pero recuerda que éste era el último deseo de Murdo y que debería ser respetado. De todos modos, hablamos el lunes... Ah, y por cierto, a Sadie le pareció estupenda la idea. Dijo que ya era hora de que te casaras otra vez, aunque sólo sea durante seis meses.

Ray colgó el teléfono con fastidio. Entonces se quedó un momento sentado en silencio, pensando en las palabras de Philippe, antes de levantarse e ir en busca de Caitlin.

La encontró en la terraza; estaba apoyada sobre la barandilla, mirando hacia la calle más abajo.

–¿Todo bien?

Caitlin se dio la vuelta y lo miró cuando él se acercó a ella, y se sorprendió de ver el brillo de la cólera en su mirada.

–Sí, todo va bien.

No le parecía, pero no lo presionó.

–Sabes, creo que tienes razón en lo de dedicarse sobre todo al trabajo. Sí que ayuda a no pensar en otras cosas. Yo me siento mucho mejor cuando estoy ocupada.

Él la miró contemplativamente. La brisa le retiró el cabello de la cara. Tenía unas facciones bellísimas, con los pómulos altos, los labios perfectamente proporcionados, carnosos y sensuales, una nariz pequeña y delicada y unos ojos brillantes y preciosos. En general era una mujer muy deseable.

Consciente de que parecía observarla con mucho detenimiento, Caitlin sintió que se le aceleraba el pulso con una mezcla de deseo e incertidumbre. Desesperada buscó algo que la distrajera del deseo que sabía capaz de despertar en ella.

–Y he estado pensando un poco en la casa de Murdo –dijo ella.

–Bueno, es tu tema favorito.

Caitlin decidió que sería mejor ignorar el comentario y continuó rápidamente.

–Estaba pensando si debería tirar el tabique que separa el comedor y el salón y dejar un vano rematado con un arco.

Él la miró divertido.

–¿Y por qué me lo preguntas a mí?

–Porque tú eres arquitecto y quiero la opinión de un profesional –le dijo con cierta sorpresa.

–Bueno, ya sabes lo que pienso –dijo él–. Creo que la casa habría que derribarla.

–Ray, eso no tiene gracia –se plantó una mano en la cadera y lo miró–. ¡Estás hablando de la casa de Murdo!

–Es tu casa –le corrigió en tono suave–. Para que hagas lo que quieras con ella.

–Sí, y lo que quiero es restaurarla y devolverle su gloria de antaño.

–Lo sé –Ray la agarró de la barbilla–. ¿Dime, Caitlin, has visto alguna vez el testamento de Murdo?

Observó su expresión, buscando algún atisbo de emoción que le pudiera darle a entender que ella conocía las condiciones que Murdo había impuesto.

Caitlin frunció el ceño; la pregunta la había sorprendido.

–Bueno, no... por supuesto que no. Recibí una carta de mi abogado comunicándome mi herencia. Y lo vi brevemente en su despacho para recoger las llaves de la casa. Pero no vi el testamento en sí –se encogió de hombros–. ¿Por qué? ¿Debería haberlo visto?

–No. Sólo me preguntaba lo que sabías de las condiciones de la venta, nada más.

–Lo único que me dijo el abogado era que tenía que vivir allí durante seis meses antes de poder venderla. Y me dijo que había unas cuantas condiciones unidas al testamento en relación a eso. Pero para ser sincera no le presté demasiada atención a esa parte, porque estaba tan emocionada con poder heredar una casa que vender fue lo que menos se me pasó por la cabeza. Ah, y me dijo que me pusiera en contacto con él si iba a cambiar de estado civil –hizo una mueca–. Claro que le dije que eso no iba a ocurrir.

Ray asintió. Le quedaba claro que Caitlin no tenía idea de cuál había sido la última voluntad de Murdo.

–¿Por qué me lo preguntas, de todos modos? –lo miró, confundida por las preguntas–. No seguirás empeñado en comprar la casa, ¿verdad, Ray? Pensaba que habíamos acordado en olvidarnos de eso.

–Fuiste tú la que sacaste el tema de la casa –le recordó con una sonrisa.

–Sí, bueno, pues ahora me arrepiento. Esa broma de derribar la casa no me ha hecho gracia.

Él sonrió y se inclinó un poco más hacia ella.

–No es más que una casa, Caitlin. Olvidémonos de ella y pasemos a temas más interesantes.

–¿Como cuáles? –le preguntó sin aliento mientras él acercaba sus labios a los suyos.

–Como éste, por supuesto...

Y entonces comenzó a agasajarla con besos ardientes y apasionados, y Caitlin se olvidó de la casa, del amor de Ray por Hélène y de David.

Capítulo 9

ERA temprano cuando Caitlin se acurrucó junto a Ray en la comodidad de la enorme cama de matrimonio. Mientras escuchaba el sonido distante de las campanas de una iglesia, deseó que el tiempo se detuviera y pudieran permanecer abrazados así para siempre. Qué pena que tuvieran que tomar un avión de vuelta a casa a las doce y media...

Miró a Ray y estudió sus facciones apuestas mientras dormía. Tenía unas pestañas tupidas y largas que enorgullecerían a cualquier mujer, pensaba con aturdimiento, y su boca era suave y sensual. Recordó sus besos ardientes de la noche anterior y sintió que el deseo se renovaba en sus entrañas. Se estiró y lo besó suavemente en los labios. Él la abrazó por la cintura y le devolvió el beso adormilado, y entonces abrió los ojos.

–Mmm, me encanta despertarme así –murmuró con pereza.

–Yo misma estaba pensando lo mismo –se dio la vuelta y se apoyó sobre su pecho, mirándolo con una sonrisa.

Así de cerca, notó que tenía los ojos de un color caramelo oscuro.

Él le acarició la cabeza con suavidad, agarrándole después la cara y besándosela con ternura.

El timbre del teléfono interrumpió el silencio de la mañana.

Caitlin gimió y le echó los brazos al cuello.

–¿Es que tu teléfono nunca para de sonar? Ignóralo y ya está.

Ray siguió besándola, como si fuera a hacerle caso, pero de pronto se apartó de ella y se levantó de la cama.

–Acabo de acordarme de que Philippe me dijo que me llamaría esta mañana.

Caitlin deseó que no le resultara tan fácil pasar de la pasión a los negocios; le provocaba cierto temor. Seguramente podría haber dejado que se grabara en el contestador. Después de todo era domingo por la mañana.

Suspiró y se levantó de la cama, entonces se puso el camisón mientras se decía con firmeza que estaba comportándose de un modo egoísta. Lo malo era que no parecía poder evitarlo.

Fue a la cocina y puso el hervidor en marcha.

–Me temo que son malas noticias –le dijo Ray cuando regresó junto a ella momentos después–. No voy a poder acompañarte a La Provenza hoy. Era Philippe, y dice que han surgido unos problemas de los que voy a tener que ocuparme en el despacho. Pero te dejo primero en el aeropuerto.

–No hay necesidad, Ray –dijo ella rápidamente–. Puedo tomar un taxi.

–Siempre tan independiente –se burló un poco de ella, y entonces, cuando ella se fue a apartar, le tomó la mano–. De acuerdo, pero sólo permitiré que tomes un taxi al aeropuerto si cenas conmigo el miércoles.

Ella fingió pensárselo un momento.

–De acuerdo, trato hecho, pero tienes que venir a mi casa y yo te haré la cena.

–Estupendo –la besó en los labios–. Puedes impresionarme con tu *cuisine anglais* –le murmuró él con burla.

Ella le sonrió mirándolo a los ojos.

–Y tú puedes impresionarme con tus habilidades arquitectónicas y darme tu opinión con esa pared que estaba pensando en tirar...

–Pensé que querías cocinar para mí, cuando en realidad tienes otro motivo –negó con la cabeza–. Veo que he encontrado la horma de mi zapato, Caitlin Palmer.

–Me has pillado –le dijo ella con una sonrisa.

Él volvió a besarla en los labios con suavidad.

–Entonces, el miércoles –le dijo en voz baja mientras se retiraba–. Ahora tengo que ducharme y dejarte, me temo, pero voy a llamar al taxi antes de irme.

A Caitlin se le hizo extraño estar sola en el apartamento de Ray. Caitlin se duchó e hizo la maleta. Entonces se puso a recoger un poco mientras esperaba a que llegara el taxi. Sus pasos la llevaron hasta el despacho de Ray, donde retiró la copa de champán que él había dejado allí la noche anterior. Al hacerlo se fijó en los papeles que había junto al teléfono, y el nombre de Murdo le llamó la atención.

Movió un poco los papeles, que se resbalaron y cayeron al suelo. Rápidamente se agachó a recogerlos, y fue entonces cuando se dio cuenta de que lo que tenía delante era una copia del testamento de su antiguo paciente.

Caitlin frunció el ceño cuando recordó cómo Ray le había preguntado la noche anterior algo relacionado con el testamento de Murdo. ¿Por qué le había preguntado nada si él ya tenía una copia? ¿Y por qué tenía una copia? La respuesta era sencilla: no se había dado por vencido y seguía queriendo comprarle la casa.

Con el ceño fruncido, hojeó los papeles. Enganchado con un clip a una de las hojas, había una nota de Philippe. Estaba en francés, y Caitlin no la entendió muy bien... Parecía que decía algo de que el matrimonio fuera una solución, lo cual no tenía sentido.

Caitlin se sentó en la silla de Ray y se fijó de nuevo en los papeles. Había unos planos doblados al final. Al principio no sabía lo que estaba mirando, pero al poco se dio cuenta de que el *château* de Ray estaba marcado en el mapa, también la casa de Murdo y varias otras casas.

Pero no había otras casas detrás de la de Murdo.

Frunció el ceño y volvió a la nota de Philippe, deseando que su francés fuera mejor. ¿Por qué era el matrimonio la solución...? ¿Y una solución a qué?

El ruido de la puerta de entrada le hizo pegar un respingo.

–Hola, Caitlin, soy yo, Ray... –se oyó su voz desde el salón–. Me he olvidado unos documentos que necesito.

Por un momento Caitlin pensó en esconder los papeles para que él no la pillara cotilleando, pero enseguida decidió no hacerlo. Aquello tenía que ver con su finca y quería saber qué estaba pasando.

–Caitlin... –la voz de Ray se fue apagando al llegar a la puerta del despacho y verla allí sentada–. ¿Qué estás haciendo? –le preguntó con recelo al ver los papeles que tenía delante.

–Estaba a punto de preguntarte lo mismo –dijo en tono seco.

Él terminó de entrar en la habitación.

–Los documentos que estás curioseando son privados –le dijo con fastidio.

–Pero tienen que ver conmigo, ¿verdad, Ray?

El corazón empezó a latirle aceleradamente, pero no era de rabia, sino de pánico.

–Me hiciste creer que querías mi propiedad porque era una inconveniencia pasar por ella de camino a una de las muchas entradas a la tuya. Pero no era cierto, ¿no? –su vista se fijó en los planos que había junto al testamento de Murdo–. Estoy haciendo algo más que bloquear la entrada a tu casa, ¿verdad? –le dijo con frialdad–. En realidad, soy un buen problema para vosotros... por eso te has molestado tanto en conseguir una copia del testamento de Murdo, para poder encontrar el modo de librarte de mí antes de que pasaran los seis meses... Seguramente será ésa la razón de que me hayas traído aquí... –dijo Caitlin mientras todo empezaba a encajar–. Y sin duda será la razón por la que me has seducido...

–Caitlin, eso no es cierto –la interrumpió él en voz baja–. Te he invitado aquí porque quería estar contigo...

–Corta el rollo, Ray, porque no me vas a convencer –lo interrumpió con fastidio–. No soy idiota; veo exactamente lo que estaba pasando aquí –dejó el papel sobre la mesa con desdén–. Sabía que entre nosotros nunca habría nada serio ni significativo. Pero jamás pensé que llegarías a esto.

–Caitlin, si quisieras escucharme un momento...

–No quiero escuchar nada de lo que tengas que decirme nunca más –tenía los ojos brillantes de cólera–. Y no te creas que me vas a persuadir con tópicos porque, para serte sincera, irme a la cama contigo ha sido simplemente algo que he hecho para dejar de pensar en el verdadero amor de mi vida.

Al decir las palabras vio que entrecerraba los ojos y esperó con vehemencia haber podido golpear su orgullo masculino. Pero al mismo tiempo algo doloroso se retorció en su interior, y supo que sus palabras no tenían nada de sinceras. Dormir con Ray había sido mucho más que eso para ella.

–Pero por lo mismo pensé que estábamos siendo sinceros el uno con el otro –terminó de decir Caitlin.

–Nunca te he ocultado el hecho de que quería comprar tu finca –le dijo Ray en tono seco ya.

–Pero no me habías hablado de esto –dio un manotazo a los papeles y los lanzó de la mesa.

–No te lo he dicho porque no pensé que fuera algo positivo.

–Bueno, en eso tienes razón, porque la respuesta a tu oferta sigue siendo que no –se puso de pie–. ¿Y qué demonios es esa solución de la que habla Philippe en su nota?

–Has estado investigando, ¿verdad? –le dijo Ray con calma.

–¿Qué es, Ray? –le preguntó de nuevo, mirándolo con tirantez.

Se agachó a recoger los papeles del suelo.

–Aparentemente la única manera de evitar la cláusula que obliga a esperar seis meses para vender es si tú y yo nos casamos –le dijo, y notó inmediatamente que se ponía pálida–. Aparentemente Murdo especificó que si nos casamos la casa será mía y, lo que es más, ha dejado una gran cantidad de dinero depositado en algún banco como regalo de boda para nosotros.

–¿Entonces qué planeas, Ray? ¿Un breve romance y una boda rápida, seguida de un divorcio relámpago? –el corazón le latía con tanta fuerza que le hacía daño en el pecho–. Espero que planearas pedirme en matrimonio hincando una rodilla en el suelo –añadió de mal humor–. Así me resultará más satisfactorio cuando te diga que no.

Sus labios se torcieron en una sonrisa amarga.

–Creo que te estás adelantando un poco al juego, Caitlin –le dijo con frialdad–. Porque aún no te he pedido que te cases conmigo.

–¿Qué estabas, reservándolo para la noche del miércoles? –pasó delante de él con mucho genio–. Bueno, puedes irte al infierno, Ray. Preferiría casarme con una reencarnación del diablo que contigo.

Cuando estaba casi llegando a la puerta, él la agarró del brazo.

–Quédate ahí mismo –le dijo con enfado mientras la giraba para que lo mirara–. Para que lo sepas, fue Philippe a quien se le ocurrió la sugerencia del matrimonio, y yo le dije que se fuera al infierno. Y no te conté lo del proyecto de construcción porque no quería presionarte para que te marcharas. Y en tercer lugar te invité aquí por razones personales.

Caitlin tragó saliva con dificultad. Tenía tantos deseos de creerlo... Pero no podía.

El timbre del telefonillo interrumpió el silencio.

–Ése será mi taxi –dijo, y se apartó de él con gran esfuerzo.

Ray la siguió al vestíbulo y observó que recogía su maleta que estaba detrás de la puerta.

–Caitlin, estás cometiendo un grave error –le dijo en voz baja.

–No lo creo.

–El hecho es que podría haberte sacado de esa casa mucho antes de lo que piensas.

La arrogancia y seguridad de su tono de voz la sorprendió tanto que se detuvo un momento con la mano en el pomo de la puerta.

–Esa casa es mía, Ray... –lo miró con enfado–. Y no puedes hacer nada al respecto.

–Creo que sí. Vuelve a la casa y averigua de dónde te llega tu suministro de agua.

–¿De qué diantres estás hablando? –Caitlin frunció el ceño–. Sé que no estoy conectada al suministro general, si es a eso a lo que te refieres, pero tengo mi propio pozo.

Él negó con la cabeza.

–Debo corregirte. Tienes mi pozo. Ves, podría haberte cortado el suministro de agua hace mucho tiempo. Simplemente escogí no hacerlo porque me pareció algo muy desagradable. Prefería hacerlo de otro modo. Pero... –se encogió de hombros– Si quieres ponerte bruta, de acuerdo. Allá tú.

Caitlin lo miró.

–¿Me estás amenazando?

–No. Te estoy diciendo una realidad. Tienes agua por cortesía mía. Vuelve y compruébalo –se encogió de hombros–. Entonces, cuando estés más tranquila y te des cuenta de que estoy intentando jugar limpio contigo, hablaremos.

–No quiero volver a hablar contigo nunca más –le dijo Caitlin con furia–. Córtame el agua si con eso te vas a sentir mejor –le dijo mientras salía por la puerta–. No te va a conducir a nada.

Entonces cerró la puerta con suavidad pero con mucha firmeza.

De camino al aeropuerto Caitlin iba que echaba chispas. Estaba furiosa con Ray, y arrepentida de haberse acostado con él. ¿Cómo podía haber sido tan estúpida? ¿Cómo no se había dado cuenta de lo que estaba tramando?

Se sintió estúpida, utilizada y humillada. Sin duda ella había sido nada más que un proyecto de negocios, y la había agasajado y seguramente llevado a la cama con ese propósito en mente.

El dolor que eso la causaba era indescriptible. No dejaba de decirse que no le importaba, que no sentía nada por él, que por su parte sólo había sido un lío pasajero. Pero las palabras sonaban huecas en su interior. Y el dolor no cedía.

Capítulo 10

EL SOL se alzó sobre las montañas y se filtró entre los olivos. En algún lugar no muy lejano un gallo entonó su canto en el silencio del amanecer. Pero Caitlin hacía rato que estaba despierta. Desde que había vuelto de París no había dormido bien, y de eso hacía ya una semana. A pesar del sueño que tenía, se levantó de la cama y fue a la cocina a abrir el grifo.

Lo había hecho todos los días, y esa mañana Caitlin puso rápidamente el hervidor debajo de la llave para no perder ni una gota del preciado líquido. Entonces puso el agua a calentar y abrió la puerta trasera.

Hacía una mañana gloriosa. El sol le acarició la piel mientras un pajarito cantaba alegremente en la rama de un almendro, como si la vida estuviera cargada de promesas. Pero no sería así si Ray conseguía lo que tenía en mente. El olivar sería derribado junto con la casa, y ya no habría almendro donde cantar el pajarito. Se mordió el labio e intentó no pensar en ello. Ray era un monstruo, se dijo con vehemencia, un auténtico monstruo.

¿Entonces, por qué no había cortado el agua? A pesar de todo, no dejaba de hacerse esa pregunta. En cuanto había regresado no había perdido el tiempo y se había puesto a investigar lo que él le había dicho. Era cierto. El pozo estaba a setecientos metros de la linde en su terreno. Podría habérsela cortado hacía semanas y no lo había hecho.

Seguramente habría decidido que no le serviría de nada. Y tenía razón. No le sería de ninguna utilidad. Porque hiciera lo que hiciera, ella no pensaba ceder. Y a ese respecto había tomado ya medidas. Había encargado un tanque de agua que llegaría en unos días. Y en cuanto se lo instalaran y estuviera lleno le daría al menos un poco de espacio para respirar. No pensaba quedarse de brazos cruzados.

Pero el hecho de que tuviera que enfrentarse a Ray seguía doliéndole. No podía creer lo calculador que había sido. Sobre todo cuando recordaba la pasión con que la había besado y abrazado. Cuando estaba de noche en la cama y cerraba los ojos intentaba olvidar lo bien que se había sentido entre sus brazos, pero los recuerdos resultaban difíciles de borrar.

Lo extraño era que había pensado que su ruptura con David había sido dolorosa, pero no era nada comparado con el tormento que sentía en esos momentos.

Se sentó a tomar un café mientras hacía la lista de la compra. Ese día había un mercadillo en el pueblo y quería bajar para surtirse de fruta y verdura fresca.

Acababa de terminar la lista cuando sonó el teléfono, que lo descolgó esperando que fuera o su madre o Heidi. Pero en lugar de eso oyó el tono relajado de Ray al otro lado de la línea.

–Hola. ¿Estás dispuesta ya a hablar?

Al oír su voz, todas sus terminaciones nerviosas se alertaron.

–Me sorprende que tengas la frescura de llamarme –le dijo casi sin aliento por culpa de la emoción que le retorcía las entrañas; pero lo peor de todo era que en el fondo se alegraba de oír su voz–. Y no, no estoy lista para hablar contigo y nunca lo estaré.

–Vamos, Caitlin, es una tontería –le dijo con impaciencia–. Te he dado una semana para que te tranquilices y pienses las cosas, y creo que es suficiente. Ahora me parece que deberíamos juntarnos y hablar esto como dos adultos civilizados.

Su tono la molestó. ¿Cómo se atrevía a hablarle como si ella fuera un niño recalcitrante?

–Vete al infierno, Ray.

–¿Qué haces hoy? –le preguntó él como si ella no le hubiera dicho nada.

–Voy al mercadillo a hacer algunas compras, aunque no es asunto tuyo –frunció el ceño, preguntándose por qué le habría dicho siquiera eso–. Mira, Ray, no quiero volver a verte –continuó rápidamente–. Y ahora te voy a colgar. Así que adiós.

Cortó la conversación y se quedó tamborileando con los dedos sobre la mesa, tratando de serenarse. ¿Cómo conseguía ponerle nerviosa con tanta facilidad? Sólo de pensar en su voz le temblaban las rodillas, y eso la irritaba sobremanera.

¿Por qué razón, se preguntaba minutos después bajo el chorro de agua caliente de la ducha, todos los hombres en su vida la abandonaban? Había empezado con su padre, que había salido de su vida cuando ella tenía doce años y no había vuelto a verlo hasta cinco años después. Luego había estado Julian, que le había hecho muchas promesas pero que había mentido con cada una de ellas; después David, y ahora Ray para añadir a la lista...

Levantó la cabeza con rabia hacia el chorro de agua para no pensar más en él y en lo que le hacía sentir. Y fue en ese momento cuando se cortó el agua.

Al principio pensó que ella habría cerrado el grifo sin querer. Pero entonces se dio cuenta de lo que había pasado: se la habían cortado.

Con mano temblorosa agarró la toalla y se envolvió en ella. Y sólo para comprobar que no era fallo de la ducha, fue a abrir el grifo del lavabo. Pero nada.

Caitlin estaba furiosa; apenas podía creer que Ray hubiera caído tan bajo. Entonces se recordó que él era el hombre que la había seducido con tanta frialdad. Por supuesto que era capaz de hacer algo así.

En ese momento sonó el teléfono y Caitlin contestó enfurruñada.

–¿Me vas a prestar atención ahora? –dijo la voz de Ray.

–No voy a dejar que me manejes, Ray –le dijo con voz temblorosa, a su pesar.

–Sólo te pido que nos veamos en el pueblo para almorzar –continuó como si ella no hubiera dicho nada–. Me dijiste que ibas a ir de todos modos, así que tampoco te cuesta tanto.

–No quiero comer contigo –le dijo en tono seco.

–¿Quieres volver a tener agua? –le preguntó él.

–Sabes que sí –dijo ella algo más controlada.

–De acuerdo, entonces repite conmigo: sí, me encontraré contigo en la plaza del pueblo.

Caitlin quería mandarle a la porra. Permaneció en silencio un momento mientras intentaba pensar a derechas. Quería colgarle o decirle que se las arreglaría sola, pero se echó atrás.

–De acuerdo, te veré en el pueblo –le dijo por fin; tal vez debería hablar con él, si acaso para decirle a la cara lo que pensaba de él–. Pero sólo a tomar café –añadió con urgencia–. No podría comer contigo; me atragantaría.

–Siempre tan dramática, Caitlin –le dijo con cierto humor–. Entonces nos vemos en un par de horas.

Momentos después el agua volvía a correr. Y una hora después Caitlin bajaba por la estrecha carretera comarcal en dirección al pueblo.

Aparcó el coche a la entrada del pueblo bajo la sombra de unos árboles. Miró el reloj y vio que le quedaba una hora hasta su reunión con Ray. Intentó ignorar los pequeños estallidos de aprensión que se producían en su interior y sacó su lista de la compra; sacó el bolso y salió del coche.

El pueblo de Ezure estaba situado en la falda de la montaña y era un rincón digno de cualquier postal. Las calles de adoquines protegidas del sol por las copas frondosas de los árboles se entrelazaban salpicadas de bellas casas solariegas antes de abrirse a una plaza amplia y flanqueada de árboles.

Aunque estaba tan sólo a cincuenta kilómetros de la costa, habían respetado el entorno del lugar, y cuando uno entraba en el pueblo parecía como si retrocediera en el tiempo. Sólo había un par de tiendas, dos restaurantes y un bar. Y un día en que Caitlin había ido entre semana el pueblo había estado casi desierto.

Ese día, sin embargo, parecía como si la población hubiera despertado de su estado de ensoñación habitual, ya que sus calles estaban llenas de la risa de los niños y de las conversaciones de la gente. Al dar la vuelta a la esquina de la plaza vio que estaba llena de color y de vida con la presencia de los puestos del mercadillo local. Los puestos estaban cubiertos por unas lonas tan grandes que creaban un laberinto de calles a la sombra donde poder comprar, pero aun así el calor era intenso, y mientras se abría paso entre los grupos de personas para pasearse por el mercadillo, Caitlin se alegró de haberse puesto un vestido ligero de algodón.

Había montañas de jugosas aceitunas verdes y negras y una gran variedad de verduras y hortalizas frescas que parecían recién arrancadas de la mata; también vio queso de cabra y encurtidos y una gran variedad de panes recién hechos. El olor a pollo asado se mezclaba con el de las hierbas frescas y el del café molido de un modo que era únicamente francés. Caitlin disfrutaba simplemente paseando entre los puestos.

La sensación de mareo y náuseas la sorprendió, y rápidamente se metió por entre dos puestos, con el único pensamiento de llegar a un lugar más fresco y sentarse antes de caer al suelo.

Fue un alivio emerger al espacio abierto que había al otro lado de la plaza. Desde allí se veían los montes y la campiña ondulada en dirección al mar y soplaba una agradable brisa que ayudó a calmar la sensación de mareo.

Se sentó en una pared bajo la sombra de uno de los eucaliptos y cerró los ojos un momento.

–Caitlin –la voz de Ray la sorprendió y abrió los ojos rápidamente–. Me pareció que eras tú –le dijo mientras se acercaba a ella–. Te vi saliendo a toda prisa de entre los puestos... –su voz se fue apagando al ver lo pálida que estaba–. ¿Te encuentras bien?

–Sí, gracias –dijo en tono seco.

–No, lo digo en serio. De verdad que no tienes buen aspecto.

Se sentó a su lado y fue a ponerle la mano en la frente. El roce de su piel tan fresca comparada con el calor de la suya le hizo experimentar un sinfín de reacciones, desde la confusión al deseo. Así que se apartó de él, avergonzada de lo que estaba sintiendo. Aquél era el hombre que la había utilizado para su provecho. Y tal vez pareciera preocupado, pero lo único que le movían era su finca y su negocio.

–Estoy bien, Ray, no exageres. He sufrido un leve golpe de calor, nada más.

Le retiró la mano.

–¿Estás bebiendo suficiente agua? –le preguntó Ray–. Porque con esta temperatura es muy fácil deshidratarse.

–Y vas y me lo dices tú, que me has cortado el agua esta mañana. Ha sido un detalle horrible por tu parte.

–Pero al menos he conseguido que me hicieras caso.

–De acuerdo, pero no te lo voy a perdonar.

Ray la miró y vio que tenía las mejillas más sonrosadas y que sus ojos verde esmeralda habían recuperado su brillo.

–Además, quería verte –continuó él ignorando su amenaza.

Sus palabras y su manera de decírselo consiguieron desatar sus emociones. Confusa, Caitlin desvió la mirada.

–Te he echado de menos esta semana –continuó Ray en tono bajo.

Ella lo miró y el corazón le dio un vuelco. La verdad era que ella también lo había echado de menos, mucho más de lo que habría creído posible.

No había duda alguna de que entre ellos había una química de lo más potente que en ese momento se desenroscaba en oleadas que le parecieron más fuertes que el sol. Pero no significaba nada, se dijo con furia. Y sus palabras no eran sinceras. Lo único que le importaba era su finca.

–Bueno, pues yo no te he echado de menos –le dijo con voz ronca.

Caitlin fue a desviar la mirada, pero él la agarró de la barbilla, obligándola a mirarlo.

–He pensado en ti noche y día.

Las palabras susurradas revolucionaron sus ya maltrechas emociones.

Le miró los labios y sin querer recordó lo maravilloso que había sido besarlos y la facilidad con la que Ray despertaba esa pasión descontrolada y salvaje de la cual ni siquiera ella se sabía poseedora hasta el día en que él la había tomado entre sus brazos. Lo amaba. La idea se le coló sin permiso en el subconsciente, y el terror fue tan grande que sintió una especie de mareo.

Ray vio que se quedaba pálida y le retiró la mano de la frente.

–¿Caitlin?

Ella no perdió el tiempo y se apartó de él.

–Mira, creo que no debería haber accedido a encontrarme aquí contigo –dijo ella casi sin aliento–. Puedes decirme todas las palabras dulces que se te ocurran, pero no me vas a hacer cambiar de opinión. Veo cómo eres, Ray y...

Cuando fue a levantarse él la agarró del brazo, obligándola a permanecer sentada.

–Lo del agua de esta mañana ha sido para demos-

trarte que si te quisiera fuera de la casa y de la tierra podría haberte hecho la vida mucho más difícil hace tiempo. Pero no lo hice.

–Sólo porque sabías que no serviría de nada –dijo con el corazón golpeándole el pecho con fuerza.

–También he utilizado mis contactos para que la compañía de la luz no te hiciera esperar tanto –le dijo mirándola con dureza–. ¿Crees que habría hecho eso si te hubiera querido echar?

–Basta ya, Ray –intentó apartarse de él, pero él no quería soltarla–. No quiero oír ni una mentira más de tus labios. Eres un aprovechado y un...

–Sé que has sufrido en el pasado, Caitlin –le dijo con suavidad–. Te lo veo en los ojos a veces cuando me miras. Pero yo no soy David... Y no soy alguien que vaya a utilizarte, o hacerte daño, o a engañarte... Porque te quiero, Caitlin.

Por un instante Caitlin pensó que lo había oído mal. Dejó de forcejear con él, y Ray la soltó.

–Te pedí que vinieras conmigo a París porque te deseaba. No hubo ningún motivo oculto en relación a tu finca... ningún trato poco claro... tan sólo el deseo de tenerte entre mis brazos.

Caitlin lo miró sin decir nada. Deseaba tanto creerlo.

–Desde aquel día en que me abriste la puerta de casa de Murdo me sentí atraído por ti. Me arrasaste, Caitlin. Fue como... –su voz se fue apagando un momento.

–¿Cómo fue? –dijo Caitlin, mirándolo con desconcierto.

–Fue como si la historia se repitiera –dijo en voz baja; entonces le retiró el pelo de la cara con ternura–. Sentí lo mismo que había sentido con Hélène, una emoción que no había pensado que podría volver a experimentar... Y me dio mucho miedo.

El tono ronco de su voz la sorprendió. Ray era habitualmente tan comedido, tan seguro de sí mimo. Oírle decir que algo le había dado miedo la sorprendía.

–Me puse a mí mismo un montón de excusas para estar lejos de ti. Me dije que seguramente ibas buscando dinero, que habrías engañado a Murdo haciéndole creer que eras una persona sincera, decente y cariñosa. Y entonces llegaste aquí... Y enseguida me quedé sin excusas que me mantuvieran alejado de ti; porque eres decente, sincera, cariñosa y maravillosa. En realidad eres un compendio de todo lo que más me gusta.

Ella no dijo nada durante un buen rato. El corazón le latía con tanta fuerza que los latidos la ensordecían.

–No son más que palabras –le dijo en tono seco.

Quería creerlo, pero tenía miedo. ¿Cómo saber si podía confiar en él o no? Podría hacerle mucho daño y no pensaba que fuera a soportarlo...

–Mira, tengo que marcharme –añadió Caitlin, que al instante se puso de pie bruscamente.

–Caitlin...

Oyó que él la llamaba, pero no volvió la cabeza.

Capítulo 11

A MEDIDA que Caitlin se abría paso entre los grupos de gente que atestaban la plaza y las calles, las palabras de Ray se repetían en su mente. «No soy David... No voy a utilizarte o hacerte daño, ni a engañarte... porque te quiero».

Deseaba creerlo con toda su alma, pero no podía permitírselo. No podía confiar en él. Sabía muy bien que él tenía todas las de ganar.

Se repitió esas palabras en la mente una y otra vez hasta que llegó al santuario de su coche. Una vez dentro se tomó unos momentos para reflexionar antes de arrancar el coche. Había hecho lo correcto dejando allí a Ray, se decía con vehemencia. No pensaba dejar que nadie volviera a hacerle daño.

¿Y qué pasaba con lo que sentía por él? Se había enamorado de él, de eso estaba segura. Intentó desesperadamente ahogar esa voz que surgía en su subconsciente y pisoteaba todos sus sentimientos de rabia con una fuerza arrolladora. Por supuesto que no lo amaba; eso era absolutamente ridículo. Pero incluso mientras se lo negaba a sí misma recordaba el modo en que Ray la había mirado, las cosas que él le había dicho, que había pensado en ella noche y día, y el corazón le dio un vuelco de la necesidad que sentía de creer en él porque lo amaba tanto. Había pensado en él también cada día y cada noche, y el mero hecho de pensar en estar sin él le había dejado dentro un vacío enorme que jamás podría llenar.

¿Qué iba a hacer sin él? Se le llenaron los ojos de lágrimas y se las enjugó con rabia. Lo había aguantado antes y lo haría ahora. Con fastidio, metió la marcha y miró hacia atrás. Un coche se acercó al suyo, bloqueándole el paso, y Caitlin esperó con paciencia un momento para que se moviera. Pero no lo hizo, y Caitlin vio por el espejo retrovisor que el conductor se bajaba e iba hacia ella.

Fue entonces cuando se dio cuenta de que era Ray.

Aspiró hondo y bajó su ventanilla.

–¿Quieres mover el coche, por favor? Me estás estorbando –dijo con serenidad.

–No me voy a ningún sitio hasta que no terminemos nuestra conversación –dijo en el mismo tono que ella.

Caitlin lo miró.

–He dicho todo lo que tenía que decir, Ray. Así que por favor, márchate.

–No pienso irme, Caitlin. Así que será mejor que te bajes del coche y hables conmigo.

–Si no mueves el coche, monto un espectáculo.

–¿Ah, sí? –dijo en tono divertido–. ¿Qué vas a hacer?

Enfadada se apoyó sobre el volante y dejó sonar el claxon durante unos segundos; el bocinazo rompió el silencio de la calle.

–Eso es lo que voy a hacer –retiró las manos del volante y se volvió a mirarlo con fastidio–. Y voy a continuar haciéndolo hasta que te vayas.

Él sonrió con cierto pesar.

–Bueno, adelante. No me importa tener público. Unos cuantos testigos no vendrían mal.

–¿Unos cuántos testigos para qué? –le preguntó con recelo.

El sacó un fajo de papeles de un bolsillo del pantalón.

–Estos son los documentos legales del trato sobre la finca que hice con Philippe.

–No me importa lo que sean, Ray, sólo quiero que quites el coche para poder irme a casa.

Se apoyó sobre el volante y tocó de nuevo la bocina. Un grupo de curiosos se iba acercando.

Ray ignoró a la gente y continuó hablando.

–Míralos –le exigió, plantándoselos delante de la cara para que viera que eran los mismos que ella había visto en su escritorio en París.

Entonces muy despacio, Ray los hizo trizas y los tiró al suelo mientras Caitlin lo observaba.

–Esto es lo que pienso del trato que hice con Philippe –le dijo tranquilamente–. Escúchame, Caitlin. Te quiero, y no va a haber ninguna urbanización. Ya no hay trato.

Ella no le contestó inmediatamente; el corazón se le salía del pecho y apenas podía pensar con coherencia.

Ray permitió que el resto de los papeles cayeran sobre su regazo, y entonces se volvió hacia las personas que los observaban con interés.

–Estoy enamorado de esta mujer –dijo en francés en voz alta–. Y quiero que todo el mundo se entere.

Los presentes aplaudieron y se oyeron algunos silbidos para animar.

–Y quiero decirle a todo el mundo que no se construirá ningún chalé cerca de su finca, porque lo que menos desearía en el mundo sería hacerle daño.

–¿Ray, quieres callarte ya? –le murmuró Caitlin mientras la gente empezaba a aplaudir de nuevo–. Estás montando un espectáculo.

–Creí que eso era lo que tú querías –dijo él, volviéndose a mirarla.

Cuando alzó la vista para mirarlo, una lágrima cayó sobre una de las hojas.

–No sé lo que quiero –reconoció con voz ronca–. Sólo que no quiero sufrir más, Ray. Yo... no podría soportarlo...

–Abre la puerta, Caitlin, y sal del coche.

Tras un momento de vacilación, ella hizo lo que le pedía. Se puso de pie y él le enjugó las lágrimas con ternura.

–Lo siento tanto, Caitlin –le susurró con suavidad–. Nunca fue mi intención hacerte llorar o hacerte daño. Pero lo que te dije antes era verdad... Te invité a París porque te deseaba; no hubo otra razón, ni ningún motivo subsiguiente. Te lo prometo.

No se podía dudar de la sinceridad de su voz, y de pronto todas las defensas de Caitlin cayeron a su alrededor. Lo creía, pero no le salía la voz de la emoción.

–Sólo te pido que me dejes demostrarte lo que siento –le dijo en tono sincero y suplicante–. Sé que sigues amando a David. Sé que es demasiado pronto para ti, pero estoy preparado a esperarte, Caitlin. Esperaré lo que haga falta.

–Esto no le va a gustar nada a Philippe –consiguió decir ella.

–Al cuerno con Philippe –dijo Ray–. Y mientras tanto he llamado a unos constructores para que conecten tu propiedad al suministro general del agua. Creo que van a ir mañana.

–¿Y todo esto lo haces por mí? –le susurró con emoción.

–Haría cualquier cosa por ti, Caitlin –respondió con seriedad–. Y, además, me he dado cuenta de que tienes razón; la casa de Murdo tiene muchas posibilidades. Sería una locura derribarla.

Ella lo miró y de pronto se echó a reír mientras le rodaba otra lágrima por la mejilla.

–Nunca pensé que te oiría decir algo así.

–Y después de Hélène yo nunca pensé que volvería a enamorarme.

Las tiernas palabras le hicieron llorar aún más.

–No llores, amor mío –le enjugó las lágrimas con delicadeza, y al momento estaba entre sus brazos–. Jamás quise hacerte daño –le susurró en tono apasionado–. Reconozco que cuando te conocí mi prioridad era sacarte de esa finca. Pero la idea empezó a flaquear cuando sólo llevaba una hora contigo. De vez en cuando intentaba recuperarla, pero entonces tú me mirabas con esos adorables ojos verdes tuyos y, la verdad, el negocio no me importaba un pimiento.

–No puedo creer que estés diciendo todo esto –le susurró ella sin aliento–. Me pregunto si estaré soñando... –Caitlin se retiró–. Pero si es un sueño, es el mejor que he tenido en mi vida.

Caitlin lo miró a los ojos y sintió que se derretía por dentro; al momento se puso de puntillas y lo besó.

Un cuarto de hora después Ray detuvo su coche a la puerta de la casa de Murdo.

–¿Entonces, somos amigos otra vez? –le dijo Ray mientras apagaba el contacto.

Ella no le contestó inmediatamente.

–¿Caitlin? –la miró con preocupación.

–Pensé que éramos algo más que amigos –le susurró ella en voz baja–. ¿No has dicho algo de que estás enamorado de mí? –le dirigió una mirada llena de timidez–. ¿Dijiste que me esperarías?

Él esbozó esa sonrisa de medio lado que ella conocía tan bien.

–Te amo con todo mi corazón y te esperaré el tiempo que haga falta.

Ella tragó saliva para deshacer el nudo de emoción que le atenazaba la garganta.

–Y yo también te amo –le susurró con voz trémula–. Con todo mi corazón.

Por un momento se produjo un silencio profundo mientras él la miraba con sus ojos oscuros tan intensos.

–Yo... pensé que lo que sentí contigo era por lo mal que me había quedado con lo de David –continuó–. Pero la verdad es que jamás he sentido por nadie lo que siento por ti. En realidad, ahora me doy cuenta de que jamás amé a David, mientras que contigo es de verdad. Te adoro, Ray, y haría cualquier cosa por ti... –se encogió de hombros–. Así que si quieres puedes quedarte con la propiedad, porque en este momento no tiene importancia para mí.

–Caitlin –se acercó y la estrechó entre sus brazos–. Te quiero a ti y lo demás no me importa, así que por favor métetelo en la cabeza.

Buscó sus labios y la besó con la pasión y avidez que ella llevaba deseando todas esas noches largas y solitarias que había pasado sin él.

–Dios, cuánto te quiero...

Le echó los brazos al cuello y durante un buen rato sólo se besaron con la angustia y el alivio de un amor que no tenía fin.

–¿Quieres que entremos? –le susurró temblorosamente al tiempo que sus caricias se volvieron más apasionadas y sintiendo que deseaba mucho más de él.

Él sonrió.

–¿Dónde está la mujer que prácticamente huyó de mí la última vez que la llevé a su casa?

Ella también sonrió.

–Se ha entregado a una fuerza mucho mayor que la de sí misma... –susurró Caitlin.

Ray puso la mano en el pomo de la puerta y ella la abrió.

–Caitlin, antes de entrar tengo que pedirte algo –le dijo con solemnidad.

Ella lo miró.

–¿Qué es? –le preguntó con nerviosismo.

De pronto él se puso de rodillas delante de la puerta de su casa.

–¿Caitlin, me harás el honor de ser mi esposa? –le dijo con voz ronca–. Quiero que envejezcamos juntos, que tengamos hijos juntos y que nos acostemos juntos cada noche de aquí a la eternidad.

Con los ojos llenos de lágrimas, Caitlin se arrodilló y lo abrazó con fuerza.

–Sólo tienes que poner la fecha y estaré allí –le prometió en tono bajo.

Epílogo

ERA el principio del verano y el calor era ya muy intenso. Caitlin salió por la puerta de la cocina y contempló su jardín. Gracias al nuevo sistema de irrigación, la huerta de árboles frutales y el olivar estaban pletóricos y las viñas empezaban a cargarse de frutos. Era una delicia ponerse a la sombra y admirar la diferencia que se había obrado en los últimos meses en Villa Mirabelle... Su herencia.

Tenía un tejado nuevo que brillaba al sol; las ventanas habían sido sustituidas y renovadas con un estilo que respetaba el de la casa. Y el interior era todavía más impresionante. Toda la vivienda tenía los suelos de madera, y había una estupenda cocina instalada alrededor de la cocina de leña antigua.

En el piso superior, las habitaciones habían sido restauradas y amuebladas con antigüedades, con un estilo sencillo único de la típica casa de campo francesa.

–Creo que te gustaría, Murdo –susurró Caitlin al ver a un pajarillo revoloteando para posarse en la rama de un almendro–. Es mi última mañana aquí, pero Villa Mirabelle es un hogar de nuevo.

–¿Caitlin? –la voz de su madre le llegó desde otra habitación–. ¿Caitlin, dónde estás? Han llegado las flores.

Caitlin sonrió.

–Ah, se me olvidó decirte que mi madre va a vivir aquí en tu casa... aunque sólo durante una temporada. Quiere estar cerca para ver a su primer nieto –Caitlin se llevó la mano al vientre aún plano–. El bebé nacerá a finales de diciembre, Murdo, así que este año vamos a tener unas navidades muy atareadas. ¿Qué te parece el nombre de Paris, por cierto? Me pareció apropiado...

–¿Caitlin? –su madre apareció a la puerta de la cocina y se quedó con la boca abierta–. ¡Oh, cariño, estás tan preciosa!

Caitlin se dio la vuelta. Llevaba puesto un vestido largo dorado pálido que se ajustaba a su figura esbelta y brillaba suavemente cuando le daba el sol. Llevaba el pelo recogido con un moño alto cuajado de flores silvestres.

–La novia más bella del mundo –dijo su madre, que había sacado un pañuelo y se enjugaba las lágrimas.

–Venga, mamá, no empieces antes de tiempo –le dijo Caitlin con una sonrisa mientras se dirigía hacia la parte de atrás de la casa.

–No puedo evitarlo –dijo Elaine Palmer mientras se sonaba otra vez la nariz con mucho ruido–. Soy tan feliz por ti. Ray es un hombre tan estupendo, y se os ve tan enamorados. ¿Qué hacías ahí fuera?

–Estaba reflexionando un momento.

–Han llegado los coches –Heidi apareció detrás de su madre y sonrió a su amiga–. Es hora de marcharse.

Cuando Caitlin salió de la casa por última vez de soltera no pudo evitar sentir una punzada de nostalgia. Recordó el día en que había llegado allí con aquella tormenta tan horrible, y el modo en que Ray la había estrechado entre sus brazos. Entonces recordó cómo le había propuesto en matrimonio, allí a la puerta de la casa. Y había sido allí también, unas semanas después, donde le había dicho que esperaban un bebé.

Sonrió al recordarlo. Ray le había sugerido que esperaran seis meses para celebrar su boda, para que a ella no le quedara ninguna duda de que su enlace nada tenía que ver con el testamento de Murdo y todo con lo mucho que la amaba.

–Sí, lo sé –le había dicho ella–. Y creo que esperar seis meses es muy mala idea.

–Bueno, a mí no me parece demasiado tiempo... –había dicho Ray.

–Sí que lo es –ella le sonrió–. Además, dentro de seis meses no me va a caber el vestido de novia.

Ray la había mirado con extrañeza.

–¿Qué diantres quieres decir?

–Estoy embarazada, Ray. Nuestro bebé nacerá en Navidad.

Recordaba la expresión de sorpresa y de felicidad intensa en su rostro. La había abrazado con tanta fuerza, besado con tanta ternura, y el momento había sido tan perfecto que sólo de pensar en ello se le llenaban los ojos de lágrimas de felicidad.

Caitlin salió y cerró la puerta con suavidad. El futuro la llamaba, un futuro que prometía ser maravilloso en todos los sentidos.